D1202701

Aux hommes
de bonne volonté

Couverture : photo de J.Y. Caron

Leméac Éditeur bénéficie du soutien financier du Conseil des Arts du Canada pour son programme de publication.

ISBN 2-7609-0346-X

© Copyright Ottawa 1994 par Leméac Éditeur Inc.
1124, rue Marie-Anne Est, Montréal (Qc) H2J 2B7
Dépôt légal — Bibliothèque nationale du Québec, 2e trimestre 1994

Imprimé au Canada

JEAN-FRANÇOIS CARON

Aux hommes
de bonne volonté

LEMÉAC

CRÉATION

Cette pièce a été créée au Théâtre de Quat' Sous le 25 janvier 1993, dans une mise en scène de André Montmorency, assistance et régie de Alain Roy, des décors de Michel Demers, des costumes de Dalia Chauveau et des éclairages de Stéphane Mongeau.

PERSONNAGES

Par ordre d'entrée en scène :

Le Notaire : André Montmorency
Loulou : Louise Bombardier
Juliot : Benoît Brière
Jos : Gérard Poirier
Serge : Patrice Coquereau
Mman : France Castel
Jeannot : Mario Saint-Amand

Ce texte a fait l'objet d'une lecture publique le 16 avril 1992, au cours de la Semaine de la dramaturgie au Centre des auteurs dramatiques.

JEAN-FRANÇOIS CARON

Né en 1961 à La Tuque, J.-F. Caron a étudié en écriture dramatique à l'École Nationale de théâtre du Canada.

Il est l'auteur de *Donut* (1986), *J'écrirai bientôt une pièce sur les nègres...* (publié aux Herbes Rouges en 1991), *Le Scalpel du diable* (1991), *Aux hommes de bonne volonté* (1993), *Le Temps d'une parade* (1994).

Il a participé à l'écriture de *Nuits Blanches* (1991), *Cabaret Neiges Noires* (à paraître chez VLB en 1994).

Il a travaillé pour la télévision entre 1986 et 1989. Il a aussi été boursier du ministère des Affaires culturelles, du Conseil des Arts du Canada ainsi que du Centre national des Lettres.

À la mémoire de
Alain Ferron

Le notaire est dans son bureau. Il attend. Entrent Jos,
Loulou et Juliot. Le notaire se lève pour les accueillir. Il
leur indique la patère. Ils se défont de leurs impers, puis
s'assoient. Entre Serge, absorbé dans ses pensées. Il va
s'asseoir directement, sans regarder personne. Le notaire
ouvre l'enveloppe. Il en sort le testament.

LE NOTAIRE. Tèstaman de Jeannot. À mon frère Juliot, ki
riè tou le tan, ki riè surtou kan til falè pa, o salon mortuère
devan lé mor é lé morte, o sinéma dan la dèrnière ranjé
kan toute la sale pleure pour voir lé tète se rtourné

Regarde Loulou, Juliot, Serge, puis Jos.

LE NOTAIRE. C'est carrément illisible.

JOS. Ces enfants-là, on leur a pas appris à écrire.

LOULOU. Pourtant, Jeannot est allé à l'école.

JOS. Mais il a appris au son.

LE NOTAIRE. C'est ça, c'est écrit au son.

JULIOT. Ça se lit pas?

LE NOTAIRE. C'est pas que ça se lit pas. Ça se lit toujours. Mais ça va être long.

JULIOT. Êtes-vous pressé?

LOULOU. C'est la mort de notre petit frère. Une minute de plus, une minute de moins.

JOS. Plus vite vous allez continuer, plus vite vous serez débarrassé de nous, notaire.

Le notaire se dérhume et recommence sa lecture.

LE NOTAIRE. Tèstaman de Jeannot. À mon frère Juliot, ki riè tou le tan, ki riè surtou kan til falè pa, o salon mortuère devan lé mor é lé morte, o sinéma

A un découragement.

LE NOTAIRE. dan la dèrnière ranjé kan toute la sale pleure pour voir lé tète se rtourné, dan son spageti

Est à nouveau découragé.

LE NOTAIRE. kan ppa nou zanonse kil viin de pèrdre son nanploi

Relève la tête.

LE NOTAIRE. N. A. N. P. L. O. I. !

Continue sa lecture.

LE NOTAIRE. À mon frère Juliot, je lège, jé pa granchoze a légé, Juliot, mé onze père de ba don kèlkezune on dé trou mémorable dedan.

Remet à Juliot une boule de paires de bas toutes enroulées les unes par-dessus les autres.

JULIOT. Merci.

LE NOTAIRE. Kèskilya? Té pa contan?

JULIOT. Ah non! ah oui! je suis très content. J'en ai pas l'air?

LE NOTAIRE. À ma seur Loulou, ki avè labitude de lire dé roman tèlman tépè, o creu de son amac, tou lété, ke lé zarbre ki soutnè le amac finisè lété anroulé par le o

Dit zéro avant de dire haut.

LE NOTAIRE. je lège, jé vrèman pa granchoze a légé, Loulou.

LOULOU. Lègue ce que t'as, innocent. Lègue pas ce que t'as pas.

LE NOTAIRE. Mé livre décole ranpli de peace and love

Regarde Jos.

LE NOTAIRE. Aucune faute dans les mots anglais.

Continue de lire.

LE NOTAIRE. de dèsin de toile darègné é de parole de Richar Déjardin.

LOULOU. Oh.

Le notaire remet à Loulou trois ou quatre livres, attachés ensemble.

LOULOU. Merci.

LE NOTAIRE. De riin. À ma tante Ninja, seur de ma mère, ki mavè déja confié ke son plèzir dan la vi, sétè de volé, pa volé come lé frère Wight, volé a lépisri

Regarde Jos à nouveau.

LE NOTAIRE. L. É. P. I. S. R. I.

Jos hausse les épaules.

LE NOTAIRE. ...volé a lépisri dé pakè de stékaché, lé plu gro kèle pouvè trouvé, volé a la farmasi dé jeu come Risk é Monopoly, sé vrè, sétè ton trip, dan la vi, ma tante

13

Ninja, ta fason de fère dé piédné o sistème ke ta jamè été capable de dijéré, À toi, ma tante, ki, an plus, ansègne à la matèrnèle é don le mari tiin, an plus, un comèrce florisan de plante an plus de grène inimajinable, je lège, kan ton na kin zan, on na pa dé milion, je lège toute ma fortune.

Reprend son souffle.

LE NOTAIRE. Fortune est écrit sans faute. Il y a des mots, comme ça, qui traversent toutes les couches sociales et qui subissent aucune altération.

Remet à Loulou une petite enveloppe. Loulou ouvre et calcule mentalement sans sortir quoi que ce soit de l'enveloppe.

LOULOU. Soixante-quatorze et trente et une?

LE NOTAIRE. Sé pa la voi de ma tante Ninja, sa.

LOULOU. Non, c'est ta sœur Loulou qui parle.

JULIOT. Ninja a pas pu se déplacer, ses jambes la supportent plus. Quand elle doit marcher, c'est Loulou qui le fait pour elle.

LOULOU. C'est de l'ouvrage, marcher pour deux mais en échange elle pense à ma place. J'ai pas à penser, ça m'enlève une grosse épine en dessous du pied.

JULIOT. Ninja te fait dire merci.

LOULOU. Pis un bec.

LE NOTAIRE. À mononc' Jos.

JOS. Présent!

LE NOTAIRE. Ki, avèc une feuye de papié é une seul de sé min fabrikè an vin segonde un bato, Jos, le jetè dan la flake o bor du trotoir, é, avèc une sringe, Jos, fezè dégouté dan le bato, goutagoute, toute la bouète du printan pour mi fère voir lotone avan tan, a mononc' Jos, je lège, sa rsanble a un strip poker, fère son tèstaman a kin zan, je lège mon t-shirt préféré, selui ki veu riin dire, avèc une bisiclète desu é dé mo anglè, sa parè pa mé sé se ke jé de plu bo, mononc'.

Remet à Jos ledit t-shirt.

JOS. Merci, Jeannot.

LE NOTAIRE. Non mononc', sé moi ki te rmèrsi.

JOS. C'est moi, Jeannot.

LE NOTAIRE. Sé moi mononc'.

JOS. Jeannot...

LE NOTAIRE. Lèse moi te rmèrsié mononc'. Tu mà doné dé zimaje toute mon nanfanse. Dé zimaje danje pèrvèr o zèle pikante, avèc toi, jé voyajé. Pa une sène pi je fezè le tour du monde an scooter. Kan sa fokè le chiin, je partè sur tè mo, rèste asi pi lèse moi te dire mèrsi, avan ke je me fàche.

JOS. Je le porterai tous les jours, comme une nouvelle peau, ton t-shirt, mon Jeannot.

Le notaire prend une grande respiration.

LE NOTAIRE. J'ai l'impression que demain matin, à mon réveil, je vais sentir tous mes muscles endoloris tant ça me demande des efforts. Ce serait pas pire si j'étais cascadeur dans un film de Shwarzenegger.

N'obtient aucune réponse.

LE NOTAIRE. À mon frère Harvey, toujour parti, jamè là, toujour sur une pinote, toujour salé, barbqté, lé min plène de pouse, lé lèvre jèrsé, batayeur otonome, sur ki pèrsone peu conté é ki conte jamè sur pèrsone luimème, avèc le rève plu gran ke liris, diton dan lé léjande ki laconpagne, Harvey, mon frère, mon gran frère, selui ke jé prèske pa conu tan til étè disparu avan ke japarèse, selui ke je mistifi, ke je pran pour dieu, un gran tèscogrife parse ke le mo tèscogrife é tun modi bo mo pour mon gran Davidson de frère, on sé pa ou il é, Harvey, peutète mor mè tan kon Isé pa, intèrdi de Idire, sa fè ke je te lège, mon Harvey, mon bo gran Davidson, mon foular irakiin.

JULIOT. Je vais le prendre pour Harvey.

Le notaire remet le foulard à Juliot.

LE NOTAIRE. Panse tu kil va ètre contan? Tu le conè mieu ke moi, tu la conu, toi.

JULIOT. Il va être content, certain. Harvey m'a déjà confié qu'il étrangle imaginairement tous ses ennemis, depuis dix ans. Le foulard avec lequel il les étrangle commence à être pas mal usé. Il pourra prendre le tien, à l'avenir. Je vais lui envoyer par courrier recommandé. Si je mets la main sur son adresse. S'il en a une.

LE NOTAIRE. À ma seur Margaret

LOULOU. Qui est pas ici non plus.

LE NOTAIRE. Ki avè coutume étranje, chac jeudi, jour de pèye, Margaret, dachté un biyè de loto de chac sorte, é il y an na, de réunir toute sa ptite famiye, troi zanfan, se ki è jénéreu pour lépoke, avan lé tiraje, é de leur déchiré lé biyè o vizaje, an rian come une démone, é an répétan : à koi sa sèr de mètre de larjan laddan kan ton sé davanse kon gagnra jamè? On a jamè su é on sora jamè si finalman ma seur Margaret a pu devnir milionère ou

16

même, de no jour, on sé jamè, un milion de foi plus ke milionère, mamoutère.

Regarde Jos.

LE NOTAIRE. Qu'est-ce que ça veut dire, mamoutère?

JOS. Je l'ignore.

JULIOT. Ils avaient pas assez des mots du dictionnaire, ces deux-là.

SERGE. Ceux qui veulent comprendre comprennent ceux qui veulent pas comprennent pas le dictionnaire le dictionnaire c'est pas les bons mots qui sont là-dedans

Ils regardent Serge. Le notaire continue sa lecture.

LE NOTAIRE. Sé pa inportan, sé pa sa, la vi, disè Margaret, kan tèle étè déprimé, pour se rmonté le visaje, depui kèle è ptite, je te lège se ki rèste de mon dèrnié pakè de sigarète, é oui! moi, le dèrnié dé zotoktone

S'attarde.

LE NOTAIRE. Z. O. T. O. K. T. O. N. E. Un petit gars de quinze ans. Faut le faire, pareil!

Reprend là où il était.

LE NOTAIRE. jé décidé darèté de fumé.

Remet à Loulou un paquet de cigarettes à moitié déchiqueté.

LOULOU. Merci, Jeannot. Mais Margaret a jamais fumé, tu le sais.

LE NOTAIRE. Sé tancore Loulou, sa.

LOULOU. Margaret a un horaire chargé.

LE NOTAIRE. Èle orè pu nou zanvoyé son najinda.

JULIOT. Margaret est avec ppa à maison.

LE NOTAIRE. Èle a déja fumé, Margie.

LOULOU. En cachette.

LE NOTAIRE. Èle devrè recomansé, sa serè ècsèlan pour sa santé, tu lui dira sa.

LOULOU. Je vais lui faire le message.

LE NOTAIRE. À mon père Adam, Adam !, kèl non de père !, ki courè aprè nou dan la mèzon, otour de la table de cuizine, dan lèscalié don nou grinpion lé marche catre à catre, Harvey, Loulou, Juliot, Marge é moi, le keur batan, ki nou suivè, Adam, dan lé moindre recoin, mème ou il rantrè pa, sou le li par ègzanple, parse kil fezè du bedon de oublon

SERGE. De la bedaine de houblaine

Ils regardent Serge.

LE NOTAIRE. à mon père ki courè aprè nou pour nou zatrapé é nou manjé, ki courè aprè nou an chantan avèc sa voi de Kilikobisicle : an le voyan sortir de son camion, chasé lé papiyon dafric, à mon père, je lège mon braslè de cuir ke ma doné ma blonde à ma fète, lané pasé.

Repousse le feuillet.

LE NOTAIRE. Je suis désolé. Je suis épuisé.

JOS. Ta blonde, Jeannot, ton père l'a toujours aimée, tu le sais. Il l'a toujours trouvée belle. Il t'a toujours envié. Il a toujours été jaloux de toi. Et fier aussi. Il en a toujours rêvé, mon frère, de toucher à quelque chose ayant appartenu à ta blonde. C'est un grand cadeau que tu fais à ton père, mon neveu. Je vais courir après lui et le lui donner. Il va en crever de bonheur. Il va se pavaner, tu t'imagines?

LE NOTAIRE. Il se pavane déja, je lui é doné moimème avan de partir. À ma blonde Lucie, une minute de silanse.

Ils se regardent tous. Le notaire finit par regarder à sa montre. Une minute.

LE NOTAIRE. À Lucie, je lège toute lé foi ou je me sui trouvé bo dan le miroir. À mon mèyeur ami fou come de la marde ke tou le monde ri de parce ki a pa peur de fère rire de lui Serge danjereu porteur dantibiotike ki ma fè tué tan de grenouye parse kil èmè an naprèté lé cuisse je lège à Serge mes Levi's 501

Serge attrape les Levi's.

SERGE. Thanks à toi frère de sang je mettrai tes five-o-one au bout d'un mât et je les hisserai chaque fois que le calendrier reviendra à aujourd'hui en signe de notre liberté de nos beaux jours et de nos nuits jubilatoires thanks ô frère mammouthaire

Le notaire, ahuri, regarde du côté de Jos. Jos lui fait signe de poursuivre la lecture.

LE NOTAIRE. À ma mère artritike, ki disè ke la vi sétè come une beré de marde pi dotre provèrbe biin nan chère, à ma mère ki fezè se kèle pouvè pour nou consolé du père canibale, sé du père ke tu tiin ton rire animal, Juliot.

JULIOT. Penses-tu je le sais pas? Penses-tu je le sais pas que je traîne l'arbre généalogique avec moi depuis que je suis né pis que je vais le traîner jusqu'à ma mort? Tu penses que je suis un innocent, toi? Pis tu sauras que mon rire est pas animal, mon rire est communicatif.

LE NOTAIRE. À ma mère afazike, épilèptike, éklèktike, pileuze de patate émérite, peu de savoir mé une gourmandize du monde é de la vi, tou se ke jé fè de croche, je lé fè pour fèté la vi, mman, sé toi ki ma apri sa, sé moi ki te rmèrsi. Ma préféré du monde. Tou se ke jé fè de croche, sa anglobe pa mal tou se ke jé fè.

JOS. Dis pas ça, Jeannot.

LE NOTAIRE. Je sui mor a lage ou tou se ki nou zatire é croche, jé riin fè de biin.

JOS. J'ai dit de pas dire ça.

LE NOTAIRE. Jèmè sa kan sétè pa katolike, jèmè sa kan la chène débarkè, jèmè sa kan tun trin dérayè, jèmè sa, kèske vou voulé, jèmè sa kan sétè ta coze de moi.

LOULOU. C'était grave pendant que tu vivais. C'est plus grave, astheure que t'es mort. On est pas du genre à pas pardonner jamais.

JULIOT. Loulou a raison. On est une famille unie, dans le fond.

LOULOU. Dans le malheur, surtout.

JULIOT. Quand quelqu'un est mort, on fait pas son procès.

SERGE. Je t'aime encore même si t'es mort je t'aimais vivant je t'aime encore plus astheure t'es mort c'est pas ça je veux dire qu'est-ce que je veux dire je veux dire

LE NOTAIRE. Sé fini, vou pouvé vou zan nalé.

LOULOU. Déjà?

Juliot et Jos sont déjà debout.

LE NOTAIRE. Jé légé tou se ke javè je vou contré pa ma vi kan jalè couché ché Serge.

SERGE. Conte ta vie mais conte pas la mienne

LE NOTAIRE. mé sorti de nui avèc Serge.

JULIOT, *se rassoyant.* Je le savais.

SERGE. Il venait pas toujours coucher chez nous quand il allait coucher ailleurs il contait pas mal de menteries il aimait ça vous imaginer croire le contraire de ce qu'il faisait mon ostie tu veux ma mort ta famille m'aime pas m'a jamais aimé m'a toujours souhaité un tunnel hippolyte-lafontaine sans fin conte pas nos sorties de nuit

LOULOU. Raconte, ti-frére, occupe-toi pas de lui. C'est une quantité...

Cherche le mot.

JULIOT. Négligeable.

LOULOU. Négligeable.

Jos se rassoit.

LE NOTAIRE. Sa va vou zafolé pour riin, lé tan son dur, on nafole pa le peuple dan se tan là.

LOULOU. C'est de valeur, on t'aurait écouté.

LE NOTAIRE. Mononc' Jos san nui come un nintèlèctuèl.

JOS. Ben non, je m'ennuie pas.

LE NOTAIRE. Tà bayé o cornèye, Jos, je té vu.

JOS. Je viens de faire un seize heures d'affilée.

LE NOTAIRE. Alé vou couché alé chié alé vou fère manjé le steak alé zan pè je vou zaï pa moi non plu

SERGE. T'as toujours dit que le jour de ta mort tu me conterais toutes les jokes que t'as refusé de me conter les jours de ta vie envoye astheure que ce jour-là est arrivé arrête de niaiser on attend que le premier matin sans toi se lève on dormira pas personne cette nuit

LE NOTAIRE. Sa me tante pa Sergio

SERGE. Menteur envoye pour une fois qu'on t'écouterait

LE NOTAIRE. Pour une foi ke vou voulé mécouté, O.K., je vè parlé, puiske vou me tordé le bra, mè vou zavé pa le droi de zapé, pi vou zavé pa le droi de tourné le bouton à of. Prè? Go! Depui ke je sui séropozitif, Juliot, tu ri pu, tu braye come un vo, kèske je té légé, mon Juliot?

JULIOT. Tes onze paires de bas.

LE NOTAIRE. Puistèle apezantire latmosfère de ta mèzon, anpuanté tou le kartié de sorte ke lé voizin te aïse é porte plinte o ministère de lanvironman, é ke seluisi tegzorte a déménajé dan zun pèi ou il y a de koi pleuré.

JULIOT. Excuse-moi, Jeannot.

LE NOTAIRE. Ecscuztoi pa, Juliot, fè atansion. Depui ke je sui séropozitif, Loulou, tà conplètman sèsé de lire té gro roman?, vandu pour une piase chac o palè du livre, ton amac?, déchiré, kèske je té légé, ma Loulou?

LOULOU. Tes livres d'école.

LE NOTAIRE. Puistil te raplé, tou lè jour, ton nanfanse ereuze o sin dune famiye nonbreuse, peutète pa riche mé on a jamè manké de riin, une anfanse pèrdu, disparu dèrière dè zané de fuite, dèranse a travèr le vide, le silanse, le riin, le sanfon kora été ta vi, Loulou, dè kon tà pèrmi de la prandre an min, grosière èreur.

SERGE. Cul-de-sac

LOULOU. Excuse-moi, Jeannot.

LE NOTAIRE. Ecscuztoi pa, fè atansion. Depui que je sui séropozitif, Ninja, ma tante, oze pu sortir de ché zèle, kèske je lui é légé, à ma tante Ninja, Loulou?

LOULOU. Soixante-quatorze et trente et une.

LE NOTAIRE. Èle ira pa chié loin avèc sa.

LOULOU. C'est ce que je pense.

LE NOTAIRE. Bin bon pour èle. Depui que je sui séropozitif, mononc' Jos, tà paralizé dè di doi, de la bouche, kèske je té légé?

JOS. Ce que t'as de plus beau.

LE NOTAIRE. Aoui! Mon t-shirt ordinère. An nèspéran kil te rapèle cruèlman mè mèyeur jour, mè jour zordinère, seu ou javè asé de forse dan lè pate pour fère avansé ma bisiclète du soir o matin an fezan peur o cha. Depui que je sui séropozitif, tà arèté de doné de tè nouvèle, Harvey, kèske je té légé, mon frère?

JULIOT. Ton foulard irakien.

LE NOTAIRE. Di lui, je tan supli, dan fère un nusaje fratèrnitère, di à Harvey de rantré un peu de pè dan sa petite tète de gran tèscogrife, di lui.

JULIOT. Promis.

LE NOTAIRE. Promè riin, fè, fabrike, di.

JULIOT. Oui.

LE NOTAIRE. Di

JULIOT. Oui oui.

LE NOTAIRE. Tu lui di pa

JULIOT. Je vais lui dire quand je serai seul à seul avec lui.

LE NOTAIRE. Di lui tusuite

JULIOT. Y dire quoi ? Il est même pas là !

LE NOTAIRE. Ketuladore

JULIOT, *au notaire.* C'est pas écrit ça dans le testament.

LE NOTAIRE. Bien sûr.

JULIOT. Tout ça ?

LE NOTAIRE. Écoutez, ce testament, puisqu'il faut appeler ça un testament, c'est des pages et des pages de pattes de mouches, ma journée a rien que huit heures, et en ce moment j'ai un point tel, dans le haut du dos, que ça me brûle, alors vous comprendrez que j'ai pas intérêt à en ajouter. Je lis ce qui est écrit, point, et c'est écrit ke tu ladore, K. E. T. U. L. A. D. O. R. E., sans apostrophe, l'apostrophe semble avoir été éliminée de l'orthographe quand on l'a réformée. Voulez-vous que je continue ou si vous préférez qu'on laisse tomber ?

LOULOU. Laisser tomber ?

JOS. C'est peut-être pas une mauvaise idée ? C'est tout un document.

LE NOTAIRE. Je sais pas, je pourrais vous le laisser et vous pourriez vous en faire lecture, ce soir, entre vous ? Agréablement. Digestif... coin du feu...

LOULOU. La dernière volonté de Jeannot, c'est qu'on engage un notaire pour nous faire la lecture du testament dans un bureau de notaire.

LE NOTAIRE. Vous savez, dernière volonté, dernière volonté...

LOULOU, *à Juliot.* Qu'est-ce qu'on fait?

JULIOT. Comme d'habitude, on suit les quatre volontés de notre frère.

Le notaire soupire.

LE NOTAIRE. Lèse fère, tu retiin dAdam.

Vise Juliot.

LE NOTAIRE, *méchant.* C'est à vous qu'il semble dire ça.

JULIOT. C'est à moi qu'il dit ça?

LE NOTAIRE. Je pourrais pas le jurer mais on dirait que oui.

JULIOT. Je retiens pas d'Adam.

SERGE. T'as la même peau que ton père ton frère Jeannot a la peau de sa mère toi Loulou t'as la peau de

LOULOU. De qui? De qui?

SERGE. T'en as même pas de peau t'en manque t'es sèche pis violette on te voit les veines comme des autoroutes le soir tes cheveux c'est pire tes cheveux c'est c'est c'est c'est tes cheveux flottent dans une soupe grasse

LE NOTAIRE. Serge Serge Serge lache pa ton fou ici té pa du monde té devan du monde màche tè mo pi jète ta gome

Serge colle sa gomme sous sa chaise.

LOULOU, *au notaire.* Continuez.

LE NOTAIRE. Depui ke je sui séropozitif, Margaret, ma seur, tachète pu de lotri?

25

JULIOT. Margie dit qu'elle a arrêté parce qu'il faut ramasser tout l'argent qu'on peut au cas où un malheur très grand nous tombe dessus. L'idée de Margie, c'est de protéger sa petite famille, assurances et compagnie.

Le notaire éclate froidement d'un rire très insolent. Ils le regardent tous sans comprendre. Le notaire rit encore plus fort et plus froidement avant de s'interrompre sèchement.

LE NOTAIRE. C'est écrit dans le testament de votre frère.

Lit.

LE NOTAIRE. Jeannot éclate dun rire trè zinsolan

Juliot éclate d'un rire nerveux très communicatif. Le rire se répand jusqu'à Jos, plutôt gêné. Tout petit rire de Loulou, pour les accompagner. Seul Serge ne rit pas. Le notaire se dérhume.

LE NOTAIRE. Kèske je lui é légé, à Margaret?

LOULOU. Ton dernier paquet de cigarettes.

LE NOTAIRE. Kèle sétoufe avèc.

Juliot éclate d'un rire qu'il s'efforce d'arrêter aussitôt.

LOULOU. Je vais lui faire le message.

LE NOTAIRE. Depui ke je sui séropozitif, ppa, tà moin anvi de me manjé kavan, kèske je té légé, ppa?

JOS. Le magnifique bracelet de ta blonde.

LE NOTAIRE. Ma blonde an na érité èlmème dun chamane ki lavè ansorselé sé pour sa kèle voulè san débarasé

JOS. Ensorcelé?

JULIOT. Le bracelet de ppa, ensorcelé?

LOULOU. Ensorcelé comment?

LE NOTAIRE, *sèchement.* Si vous cessez pas de m'interrompre, on va être encore ici la semaine prochaine.

Lit.

LE NOTAIRE. Tou seu ki on tanroulé se braslè otour de leur poignè, i conpri ma blonde Lucie dèrnièrman, se son suisidé dan lè si jour ki on suivi, i conpri ma blonde Lucie, il tan rèste deu a vivre, ppa.

JOS. Mais c'est ridicule.

LOULOU. C'est gênant.

LE NOTAIRE. isi on fè une minute de silanse pour Lucie

LOULOU. On s'en fout, de Lucie! Si elle s'est suicidée, c'est pas notre problème.

LE NOTAIRE. Votre frère demande une minute.

JULIOT. Il nous fait ben marcher, lui, avec son bracelet de fou, quand même qu'on la ferait pas, sa minute, il s'en apercevra même pas.

SERGE. C'est sa dernière volonté boy

LOULOU. Voir si un bracelet peut être ensorcelé!

SERGE. Aimeriez-vous ça qu'on discute votre dernière volonté

JULIOT. On discute pas sa dernière volonté, là, on essaye de voir clair dans nos affaires pis nos affaires, c'est pas les tiennes. Que le bracelet soit ensorcelé ou pas, l'intention de Jeannot change pas. Il tuerait ppa s'il le pouvait.

SERGE. Tuer est un mot assassiner est un mot ça prend autre chose qu'un mot pour décrire ce que Jeannot a fait à son père

LE NOTAIRE. Asasinàyé Serge

SERGE. Thanks Jeannot assassinailler tu l'as le mot Jeannot assassinailler parce qu'il va mourir lentement le père de Jeannot votre père votre frère lentement comme les mangés par les cannibales virent violets avant de vomir leur âme dans le sable en commençant par les orteils un par un hein Jeannot un par un ou trois par trois

JOS. C'est épouvantable.

SERGE. Chut on est en train de parler à Lucie de l'autre côté des murs

Minute obligée pour Lucie.

LE NOTAIRE. Depui ke je sui séropozitif Serge mon ami frère de san bouro dè grenouye é dè keur osi parfoi kan tu te forse tu répon pu o téléfone tu fè pu le concour de selui ki crache le plu loin ki pise le plu loin ki éjacule le plu loin pereu Serge riin te fezè peur tu tamuzè a le crié dan ton somèye riin me fè peur mème pa lè dinosoruse mème pa ta tante Ninja riin me fè peur mème pa le dantiste kèske je té fè Serge kèske je té légé

Serge montre les Levi's.

LE NOTAIRE. Je sui nu. Jé jamè riin mi andsou de mè Levi's. Ma blonde sè suisidé. Ma mère è parti vivre, ma mère ratise la planète pour ranplir sa gourmandize. Vou pouvé considéré son sel fis mor ojourdui, je vou considère

28

mor ojourdui. Moi je vi. Je vi de plu zan plu. Lè minute pase moi je vi. Je sui ou? Deviné.

JULIOT. Dans ta tombe.

LE NOTAIRE. Tu jèl

LOULOU. Dans le ciel?

LE NOTAIRE. Froide

JOS. Dans les limbes?

LE NOTAIRE. Ailsberg

SERGE. Sur une île

LE NOTAIRE. Volcan antouré de rekin ki on pa peur de mon san je me fè griyé o solèye san zuile jé pa peur dè cou de solèye jé pa peur dè cansèr se ki me manke sé lamour gro manke damour sorte damour don ton na tous bezoin depui la nèsanse fratèrnité ronde otour du bloc pour apèzé son mal mè je peu man pasé puiske vou vou zan pasé depui dè zané je peu man pasé mè sa me manke sa me manke sa me manke énorméman sa me manke tèribleman

Démissionne.

LE NOTAIRE. Il n'y a plus de virgule, plus de points, les mots sont quasiment tous rattachés ensemble. C'est un chef-d'œuvre à encadrer.

SERGE. Heille

LE NOTAIRE. Ninja é Margaret é Adam vou zatande ché nou avèc dè sandwich roze é vèrte

LOULOU. Tu te penses drôle?

LE NOTAIRE. sa batra jamè lè sandwich de mman

JOS. Bon, on...

LE NOTAIRE. On va y alé, mononc'?

JOS. On va se moucher, on a le... nez plein.

LE NOTAIRE. A bin de la grande vizite rare dé zéta de la vizite kon atandè mè kon atandè pu rtourné vou pa

Ils se retournent.

SERGE. Madame Vandal

MMAN. Touchez-moi pas personne, je suis conta-gieuse, j'ai eu la malaria ou quelque chose comme ça, ça a commencé par un tout petit malaise en Malaisie, un cheveu de rat dans ma soupe. Où est Adam?

JULIOT. Il nous attend chez nous.

MMAN. Pas venu écouter les dernières volontés de son plus petit?

LOULOU. Faut pas trop lui en demander, mman.

MMAN. Faut pas trop lui en demander, ça a l'air d'un titre de quizz télévisé, faut pas trop lui en demander. Qu'est-ce qu'il faut lui demander? Pas de colère. De la douceur, de l'amour, de l'infini. Où est Adam?

Vide.

MMAN. Comment a l'air d'aller mon fils, dans son tes-tament, votre sainteté le notaire, comment est-ce qu'on l'a arrangé dans sa tombe, ses yeux, sa bouche, son ventre, est-ce qu'ils ont l'air d'yeux, de bouche, de ven-tre d'un Vandal, est-ce qu'ils ont seulement l'air d'yeux, de bouche et de ventre?

LE NOTAIRE. Mman?

MMAN. Jeannot? C'est toi qui parles? C'est lui qui parle? Qui parle? Jeannot? C'est pas ta voix mais est-ce que c'est toi? Frappe deux coups si oui, trois sinon.

LOULOU. On est pas au cinéma, mman.

Deux coups sont frappés à la porte.

MMAN. Jeannot!

LE NOTAIRE. Euh, c'est à la porte...

MMAN. Jeannot!

JULIOT. C'est à la porte que ça a cogné, mman.

S'adresse au notaire.

JULIOT. Dites que vous êtes occupé.

LE NOTAIRE, *élevant la voix, en direction de la porte.* Plus tard, Marjorie, plus tard.

MMAN. Jeannot. Je t'ai toujours dit que ton héritage, ça serait tes études, ou si tes études, ça fonctionne pas, une sorte de goût de partir, ailleurs, plus loin qu'ici, être missionnaire?... Es-tu là ou es-tu pas là? Jeannot... Fais deux coups...

Aucun coup. Soulagement de Jos, Juliot et Loulou.

MMAN. Merci.

LOULOU. Pourquoi merci?

MMAN. Pour les coups.

LOULOU. Il a même pas cogné.

MMAN. Oui, il a cogné.

LOULOU. Je regrette mais j'ai rien entendu. Juliot?

JULIOT. Moi non plus.

MMAN. Moi oui.

LOULOU. T'es sûre que c'est pas dans ta tête?

JULIOT. On est deux à avoir rien entendu, mman.

JOS. Trois.

SERGE, *lentement, après un temps.* J'ai entendu deux coups.

MMAN. Je le savais. P'tit juif! Moi qui pensais que ça serait toi qui hériterais. La vie! C'est moi qui hérite. J'étais pas prête, je suis venu le chercher pareil, mon héritage. Un garçon qui meurt à quinze ans est plus vieux que sa mère et son père mis bout à bout. T'as certainement plus à nous dire qu'on se l'imaginait quand on te faisait taire à l'heure des repas. Petit juif! C'était pas parce que je les aimais pas, les juifs, que je t'appelais petit juif. C'était parce que je les aimais, les juifs, je t'appelais petit juif parce que je sentais que tu voyais ça à travers mes mots, que j'aimais les juifs. Ton père t'accusait tout le temps de faire des plans de nègres, il disait ça parce qu'il savait que tu devinais qu'à travers ses mots, ton père aimait les nègres. Tu nous incitais à être raciste pis sexiste, tu nous amenais sur ces terrains vaseux là, c'était bien plus excitant de vivre avec toi que de vivre avec Juliot pis Loulou ou Harvey. Tu vois? Tu me fais encore dire des choses heavy, devant eux autres en plus, des vérités. Petit juif! Je te vois sourire dans ta tombe, heureux. Laisse-moi te dire que je le suis, heureuse, moi aussi.

JULIOT. Mman!

MMAN. Quoi, mman?

JULIOT. Un de tes garçons vient de mourir.

MMAN. Non, Juliot, un de mes garçons vient de commencer à vivre. Rentre-toi ben ça dans la tête pis fesse dessus, fesse jusqu'à temps que ça te crie dans l'oreille, jusqu'à temps que ça te passe bord en bord de la tête, c'est là que tu vas juste commencer à entendre à quoi ça ressemble la vie, commencer. J'étais en train de parler à ton petit frère, je disais des choses extrêmement intéressantes à ton petit frère, tu m'as coupé la parole, qu'est-ce que je disais, Jeannot? Ah oui! Que moi qui ai toujours cru dur comme fer que j'étais là un peu pour donner à mes enfants le jour où je partirais, donner quoi, je savais pas, j'étais pas rendue à l'écrire encore, mon testament, donner... c'est moi qui vas hériter. Madame Vandal, votre fils vous lègue, tatata ratatata. C'est un cadeau, ça. Je m'y attendais pas. J'étais pas préparée à ça. Tu nous emmènes toujours là où on veut pas aller, toi, c'est quoi, mon héritage?

LE NOTAIRE. Sé pa granchoze

MMAN. Fais-moi pas languir, je suis comme une enfant qui a hâte à Pâques au mois de février, c'est quoi mon héritage?

LE NOTAIRE. ma père dèspadriye

MMAN. Non.

LE NOTAIRE. oui

MMAN. Pas ta paire d'espadrilles?

LE NOTAIRE. oui

MMAN. Pas la paire d'espadrilles que j'ai tant damné dessus?

LE NOTAIRE. oui

MMAN. Pas ce que je jetais à la poubelle tous les soirs mais que je retrouvais en dessous de la table dans les pieds de mon plus jeune au déjeuner?

LE NOTAIRE. oui

MMAN. Pas?

LE NOTAIRE. É oui!

MMAN. Pas cette avarie-là?

LE NOTAIRE. sète avari là oui

MMAN. Pas ce que je mettais des gants de caoutchouc pour jeter à la poubelle tous les soirs?

LE NOTAIRE. oui

MMAN. Pas ça, Jeannot?

LE NOTAIRE. oui sà

MMAN. Pas ça, à moi?

Le notaire dépose sur la table une paire d'espadrilles trouées, tachées.

LE NOTAIRE. oui sà a toi

MMAN. Tu lâches pas. Même dans la tombe, tu donnes des coups comme t'en donnais dans le ventre, petit juif! Que je t'aime, pis que je te l'ai jamais assez dit.

JULIOT. Tu lui disais sans arrêt.

MMAN. Il m'entendait pas. Il m'écoutait pas.

LE NOTAIRE. té tune bonbe mman tà toujour été une bonbe

LOULOU. À retardement. Elle me le dit pas à moi, qu'elle m'aime. Elle attend que je sois dans ma tombe?

LE NOTAIRE. té la mère ke jé toujour rèvé davoir come mère

34

LOULOU. Celle qui est ici, c'est pas notre mère à nous, c'est une tête en l'air. Une mère court pas après les maladies.

JULIOT. Une mère abandonne pas ses enfants.

SERGE. C'est la mère que j'aurais toujours rêvé d'avoir moi aussi Jeannot chanceux comme toujours t'es plus chanceux que moi tu crachais plus loin que moi tu pissais plus loin que moi t'éjaculais plus loin que moi

MMAN. Tiens.

Sort de son sac un tambour qu'elle dépose sur la table du notaire.

LE NOTAIRE. Qu'est-ce que c'est?

MMAN. Un cadeau. Pour Jeannot.

JULIOT. Pour Jeannot?

MMAN. Il y a deux semaines à peu près, je me suis perdue dans les bas quartiers d'une ville qui était peut-être Brazzaville. J'étais si heureuse d'être si perdue si au cœur du monde sans savoir où j'étais. Mais sentir le pouls du monde. Sentir que le pouls du monde passe par le mien, mon inquiétude, les regards, les pas sourds derrière moi. Et incapable, incapable de me défaire de la face de mon petit Jean imprimée dans ma mémoire. La face de Jean quand il a eu ses sept ans et qu'on lui avait donné un tambour et qu'il l'avait usé à la corde. C'était un faux tambour, c'était un tambour de chez Eaton. J'ai pensé qu'un vrai, un d'Afrique te ferait plaisir.

JULIOT. Mman tu trouves pas que t'exagères?

MMAN. J'ai pensé qu'il serait content. Es-tu content, Jeannot?

Ils regardent tous le notaire, penché sur le testament.

LE NOTAIRE. Votre fils parle pas de tambour, madame.

Ils regardent tous mman qui aurait bien voulu avoir une réponse de Jeannot. Serge s'empare du tambour.

SERGE. Je vas dormir avec Jeannot dans mes rêves pis mes cauchemars se mêlera le tambour de ton insomnie infinie jamais ton tambour quittera mes jours je vas le cacher parce que j'ai des ennemis pis pas plus loin que dans cette pièce alors ils m'auront avant d'avoir le tambour de mon amour

Ils sont estomaqués. Serge fait signe au notaire de continuer la lecture du testament.

LE NOTAIRE. Une foi tà éjaculé plu loin ke moi Sergio Leone kèski tà pri

SERGE. Cherche pas c'est la fois où une semaine avant je m'étais pas présenté à notre concours sous prétexte d'une angine dans le cœur de mon père comme je l'avais prévu tu te masturberais pareil ostie de salaud

LE NOTAIRE. Jèmè sa me masturbé pi javè pa bezoin de toi pour fère sa javè bezoin dune geniye parse ke se ke jèmè sé kan sa refrizè dedan otan jèmè sa garoché sa le plu loin posible kan jété avèc toi otan se ke jèmè kan jété tou seul sétè ke sa refrize le plu proche posible de mon glan osti de cornichon a marde toi mème

SERGE. Moi je me suis retenu cette fois-là pis je me suis retenu toute la semaine pis quand je suis arrivé dans le champ le mercredi suivant pis que j'ai baissé mon pantalon mes bobettes

LE NOTAIRE. tu mè mème pa de bobète

SERGE. Oui je mets des bobettes c'était le temps que je les baisse parce que ça voulait sortir sans même que je me branle le manche une fois

LOULOU. S'il vous plaît. Le langage. Ça a pas été inventé pour les chiens.

SERGE. Ta sœur nous fait chier ô Jeannot

LE NOTAIRE. Tu tétè rtenu de vnir pandan une semène mon navare

SERGE. Pas une deux

LOULOU. Mman! Fais quelque chose!

LE NOTAIRE. visieu tu métone sé pour sa ke je me tenè avèc toi pi sé pour sa ka chac foi ke tu voulè pu riin savoir de moi pi ke tu téloignè de moi ke tu prenè tè distanse avèc moi sé pour sa ke moi je fezè dè pié é dè min moi dè courbète moi dan le sanse du poil dè dè dè pour ke tu me réacsèpte parse ke tu métonè pi jèmè sa me fère étoné tu métone ancore tu métonra toujour pi asteur ke je sui dan létèrnité kan je di ke tu métonra toujour toujour sa veu dire lontan spèse de salé check té bobète y a dé trase de break dedan

Ils sont scandalisés.

SERGE. Je me suis retenu pendant une semaine parce que j'avais peur que toi tu me rejettes moi toi me rejeter moi je te rejetais souvent toi pis je te rejetais tout le temps moi au moment où j'étais sûr que toi t'étais sur le point de me rejeter moi pourquoi tu m'as rejeté une bonne fois pour toutes toi dans le cosmos moi finir mes jours sans toi ce qu'on a commencé à deux pourquoi je rentre dans ma chambre le soir pis que t'es plus là quand tu fuyais ta famille pourquoi je peux plus t'héberger dans mon lit pourquoi t'es parti dans une boîte petite comme un lit simple sans m'emmener avec toi pourquoi j'ai mal au cœur dans ce bureau-là

LE NOTAIRE. Parse ke sa te vide Sergio tu té jamè vidé par la bouche jveu dire

SERGE. Devant du monde j'aime pas ça la bouche tu le sais ça fait des dégâts ben pires que les dégâts du bas-ventre

LE NOTAIRE. Sa va toujour mieu kanté vide toi Sergio souviin toi ske tu fè chac foi ke jviin de te vidé tu ri té tèlman bin ke tu fè juse sa rire riin dotre ke rire té tèlman bo kan tu ri mon tounu

JOS. Bon!

LE NOTAIRE. Fodrè comansé a pansé a ialé si on veu finir par arivé mononc'?

JOS. J'ai pas dit ça. J'ai rien dit. J'ai dit bon.

MMAN. Pauvre Jos.

JOS. Comment, pauvre Jos? Je fais pas pitié pantoute!

MMAN. Mon Dieu, Jos, t'es susceptible, fais attention de mourir vieux, tu vas souffrir longtemps. T'es peut-être du genre effritement des os, gonflement de la peau, durcissement de la narine. T'étais pas de même, quand t'étais plus jeune, quand j'ai marié ton frère. T'étais fou comme Serge.

SERGE. Je suis pas fou

JOS. J'étais pas comme lui.

MMAN. Tu contais des histoires à mes enfants pour les emmener ailleurs que dans la crasse où ils baignaient. Tu les emprisonnais dans des châteaux qui existent pas.

LOULOU. C'est vrai. Tu nous faisais peur.

JULIOT. Tu nous fais encore peur. J'aimais mieux les anciennes peurs que les nouvelles, mais si on a pas le choix, on l'a pas.

JOS. Les nouvelles peurs, c'est mon andropause. Mon goût d'avoir la paix.

MMAN. Tu l'as, la paix, t'as un salaire depuis que t'as treize ans.

SERGE. Treize ans wow

JOS. Ah, arrêtez avec ça.

MMAN. Qui monte monte monte, en fait qui est monté jusqu'à épuisement pis qui peut juste redescendre s'il se passe quelque chose de grave mais va falloir que la terre entière pète au frette avant que ton salaire baisse d'un traître sou. T'es rendu tellement haut dans l'échelle sociale, Jos, que tout ce que tu peux te permettre aujourd'hui, c'est pas un geste, pas bouger. Si tu bouges, comme tu peux plus monter, tu descends. Si tu restes sans bouger, tu peux rester sur ton très haut barreau d'échelle, mais si tu bouges rien qu'un cil, tout ce qui peut t'arriver, c'est de descendre, pis descendre, maudit que ça doit faire peur quand on a passé sa vie à monter.

JOS. Je veux plus que vous m'adressiez la parole si c'est pour déconstruire ce que j'ai mis ma vie à construire.

LOULOU. On peut plus te parler parrain, on peut plus te toucher. Un jour, on osera plus te regarder.

JOS. Mon parrain à moi, il est mort d'un cancer généralisé, j'avais neuf ans. J'ai toujours eu peur de mourir moi-même, à tout âge, d'un cancer généralisé, à cause de mon parrain.

MMAN. Il se transmet aucune gêne de parrain à filleul, Jos.

JOS. Je parle pas de la gêne au féminin, la timidité, je parle du gène, le gène, un gène, masculin, l'hérédité! J'ai réussi à oublier cette peur-là quand vous êtes nés, un après l'autre, Harvey, Margie, Loulou, Juliot, Jeannot. Mais astheure que vous êtes assez grands pour conter des histoires de peur vous-mêmes à des enfants encore plus petits que vous l'étiez, petits, quand j'étais jeune... des enfants tellement petits que je les vois pas à l'œil nu... astheure que vous êtes grands, je veux plus transmettre rien, je veux couper les ponts, parce que les ponts, c'est la transmission, pis la transmission, c'est les peurs qui reviennent. Je dors plus la nuit. J'aime mieux faire des seizes heures. J'ai assez peur de mourir d'un cancer généralisé que si je mourais d'un cancer généralisé, est-ce que je pourrais au moins pas ressentir la culpabilité de te l'avoir transmis, Loulou?

Loulou est saisie.

LE NOTAIRE. Sa va petète adousir tè vieu jour mononc' si je te raconte mon cansèr à moi?

Coups à la porte.

LE NOTAIRE. Pi tu va petète recomansé a raconté? O zanfan tèlman pti mononc' kon lé zapèle dè ptizanfan mononc' pa dè virus ptizanfan

Coups à la porte.

LE NOTAIRE, *se levant, et sortant.* P. T. I. Z. A. N. F. A. N.

On se relâche. On se dégourdit. On respire. Une bonne pause avant d'enchaîner.

MMAN. Quand je pense que votre père est pas venu. C'est une grande conversation, qu'on a là.

JOS. Il le prend pas, il pleure à maison, il rage, il bouille tout le thé qu'il a bu depuis quarante ans. C'est mon frère, je le connais, pis je le sais, la peine qu'il a, je descends veiller avec lui chaque fois que je travaille pas. On regarde les films ensemble pis quand je remonte chez nous, au troisième, c'est tout juste si je l'entends pas grincer des dents dans son sommeil. C'est tout juste si j'arrive à dormir, voulez-vous le laisser cuver son vin, il a de la peine, il est soûl, il s'occupe de lui parce que personne s'occupe de lui, personne s'est jamais occupé de lui.

MMAN. Je lui ai pilé ses patates pendant vingt ans.

JOS. Oui mais là son fils est mort, il s'en crisse, de tes patates. Ta sœur Ninja lui parle de couleurs de sandwiches depuis deux jours. Ta fille Margaret fait semblant qu'il est rien arrivé. Elle continue à donner ses leçons de piano, même sans élève. Je te dis, au rythme où elle pianote, ta fille est en train de s'automutiler. C'est-à-dire qu'un piano est en train de la bouffer toute vivante. Ses mains, ses poignets, ses coudes, ses épaules. Fais pas le saut en rentrant chez vous, si tu surprends dix orteils en train de jouer la *Polonaise* de Chopin. Tu le sais pas, toi, t'es partie.

MMAN. Je regrette déjà d'être revenue.

JULIOT. C'est quoi ton trip, mman?

MMAN. Vous le savez.

JULIOT. Tout ce qu'on sait, c'est que t'es partie sans avertir.

MMAN. Si j'avais averti, je serais pas encore partie.

LOULOU. On t'aurait pas gardée prisonnière.

MMAN. Oh çà, oui!

LOULOU. Belle opinion de tes enfants.

MMAN. T'es allée à l'école longtemps, toi, Loulou. Pas moi. Dans mon temps, on allait pas à l'école longtemps.

SERGE. Aujourd'hui non plus madame Vandal

LOULOU. Aujourd'hui, on donne des cours aux analphabètes.

MMAN. Je suis pas analphabète, j'ai jamais lu. Je voyage pas dans un hamac, moi, je voyage sur des pneus. Chacun sa façon. J'ai trouvé la mienne. Je m'en fous si vous aimez pas ça.

JULIOT. Mman, on a rien contre, que tu voyages sur des pneus, mais comme c'est là tu nous as fait peur. T'es partie d'un coup sec, en coup de vent, pas de valise, pas d'adresse, pas de carte d'assurance-maladie. T'aurais pas pu commencer tranquillement le tour du quartier?

MMAN. Je me serais jamais rendue en Malaisie si j'étais encore à faire le tour du carré.

JULIOT. Mais qu'est-ce t'as d'affaire à faire le tour de la Malaisie? Tu nous reviens avec des vaccins!

LOULOU. Parce que tu pars sans.

JOS. C'est vrai, ça, ils ont raison. S'ils ont pas raison, ils ont pas tort en tout cas. Depuis longtemps, des vaccins ont été découverts contre la malaria pis l'hépatite pis les herpès suédois pis toute la *out-fit*. Ça serait une affaire de rien si tu te pliais aux exigences de...

MMAN. Si vous saviez comme je suis heureuse d'avoir une maladie contagieuse. Quand je veux pas que quelqu'un me touche, c'est simple, astheure. Avant, suffisait que je veuille pas me faire toucher par quelqu'un, que je lui dise pour que cette personne-là me COLLE APRÈS comme une sangsue, pas de colère. Si vous me touchez, vous mourrez. C'est ce que je dis maintenant. Je constate que ça me colle moins après que ça me collait après, avant. Je vais dire comme Jos...

JOS. Qu'est-ce que je dis, moi? Je dis rien.

MMAN. Bon.

JOS. Bon, je m'en vais.

MMAN. Attention de pas couler ton examen.

JOS. J'ai pas d'examen, j'ai-tu un examen, quel examen?

MMAN. À la sortie, sur le trottoir, on nous passe un examen. Savoir si on aime encore les belles choses. Savoir si on fait encore partie de l'espèce humaine. Savoir si on se laisse envahir par des émotions fortes. Si on est aussi bricoleur à cinquante ans qu'on l'était à vingt. Aussi raconteur. À moins qu'on soit devenu quelqu'un d'autre en vieillissant? Que notre plus sérieuse préoccupation dans la vie soit celle de planifier nos vacances? C'est sûr qu'on peut penser qu'on a droit à cette paix-là quand on a fait ce que t'as fait, Jos.

JOS. Qu'est-ce que j'ai fait, encore?

MMAN. T'as fait avancer le monde. D'un grand pas. Le monde est plus beau et plus paisible. Moins misérable qu'avant. Avant ton syndicat. Mais mes petits gars, quand ils s'aiment, ils en ont pas de syndicat. Pis sont quand même plus heureux que toi, mes petits gars, même sans syndicat. Toi, t'es triste. Tout seul, protégé comme une forteresse, qui peut t'atteindre? T'es même devenu patron dans ton syndicat. Aujourd'hui, t'engages du monde pour bouger à ta place. Aujourd'hui tu peux mettre une secrétaire dehors si elle fait pas ton affaire mais tu le feras pas parce que t'es juste et bon. T'es juste et bon parce que t'as fondé ton syndicat et t'as fondé ton syndicat parce que t'étais juste et bon. T'es pris comme une mouche dans une toile d'araignée, Jos, mais ça serait détruire tout ce que t'as bâti que d'avouer ça. Arrête ton cirque pis donne. Partage tes heures de travail. Vis. Tu fais beaucoup trop d'argent pour quelqu'un qui voyage pas assez.

JULIOT. Mman.

MMAN. Arrête de me parler sur ce ton-là, toi. Me semble que je t'ai élevé plus vivant.

JULIOT. Je file pas de ce temps-là, c'est des choses qui arrivent.

MMAN. Dépêche-toi de remonter la pente avant que je reparte, si tu veux qu'il me reste une image positive de toi.

JULIOT. Tu repars pas?!!

MMAN. Oh que oui que je repars, sur un temps riche à part de ça.

JULIOT. Mais l'argent?

MMAN. Quel argent?

JULIOT. L'argent.

MMAN. Juliot, ça fait vingt ans que les *flower power* font le tour du monde avec pas une cenne dans leurs poches. Empruntent ici, empruntent là, remettent jamais, revoient jamais ceux à qui ils doivent, changent de pays pour pas avoir à régler leurs dettes. Ça fait vingt ans que les artistes partent sur des ballounes aux frais de la Couronne jusqu'au sommet de l'Everest ou dans les profondeurs du Nil pour vérifier leur musique ou leur peinture ou leur écriture.

LOULOU. Mman, t'es pas une *flower power*.

MMAN. Non, pis je suis pas une artiste, non plus! J'ai réfléchi, Loulou. J'ai réponse à toutes vos questions. Si vous voulez qu'on joue à ce jeu-là, on va jouer. Mais je vous avertis : j'ai réponse à toutes vos questions.

JULIOT. Oui mais t'as pas d'argent. On peut pas faire semblant qu'on a de l'argent pour mettre du pétrole dans une tinque.

MMAN. Me semble qu'avant, les affaires te rentraient mieux dans le crâne, toi? Je fais du pouce.

JULIOT. Tu fais du pouce?

MMAN. Pas ici. Je fais du pouce en Malaisie. Personne me pose de questions là-bas. Ni sur mon âge ni sur mes antécédents, personne me trouve inadéquate. Le plus gros pas à faire, c'est de sortir d'ici. Trouver un gros cinq cents piasses pis prendre le premier avion qui quitte le pays. Je vois la destination quand j'atterris. Quand le clignotant dit d'attacher nos ceintures, c'est Londres ou New York ou Hong Kong ou les îles Mouk-Mouk. Voulez-vous ben me dire qu'est-ce que je ferais aux îles Mouk-Mouk avec une carte d'assurance-maladie? Système D. T'es malade? Système D. Tu te fais voler? Système D. Tu te fais agresser?

JULIOT. Tu t'es fait agresser?

MMAN. Inquiète-toi pas pour moi, j'ai vingt ans d'entraînement dans l'agression de toutes sortes, par un mari et cinq enfants.

LOULOU. Dis donc qu'on est pires que les nazis pis les Arabes ?

MMAN. Oh çà, oui !

LOULOU. On est pas des tueurs.

MMAN. Oh oui, vous êtes des tueurs, des tueurs dans l'œuf. Avant que les choses existent, avant que les rêves se puissent. Vous les tuez. Vous vous en débarrassez. Vous vous dites : c'est pas pour nous autres. Je le sais. J'étais comme ça, avant de partir. Jusqu'à tant que je parte. Quand je suis partie, c'était le temps parce que les rêves que j'osais pas rêver étaient en train de me tuer. Le rêve de chanter. Le jour où je suis partie, j'ai compris que la planète appartient pas rien qu'aux riches pis aux *flower power*. La planète appartient à votre mère depuis que votre mère marche dessus. Prochaine étape : la chanson.

LOULOU. Tu te lances dans la chanson ?

JULIOT. Tu te lances pas dans la chanson ?

MMAN. Je me lance dans la chanson. Comme dirait Boris Vian : Faut que ça saigne.

LOULOU. Mman, c'est pas comme ça que ça marche. Suffit pas de vouloir une chose pour l'avoir.

JULIOT. La compétition est féroce, dans certains domaines.

MMAN. Ayez pas peur, je fonctionne pas à la manière québécoise, j'attends pas qu'on me découvre, je suis capable de me découvrir moi-même. J'aime ça chanter. J'ai toujours aimé ça. J'ai toujours chanté en cachette de vous autres. Quand vous me pogniez en flagrant délit, en revenant de l'école, je venais rouge comme une tomate. J'avais l'impression que j'avais pas le droit de chanter parce que j'étais une mère.

JULIOT. On a jamais dit que les mères avaient pas ce droit-là.

MMAN. C'est pas ce que tu viens de dire quand je t'ai annoncé que je me lançais dans la chanson ?

LOULOU. Ce qu'il a dit, c'est que c'est un métier dur.

MMAN. Loulou, y a rien qui est facile, c'est pas un point de départ, ça.

JULIOT. C'est quoi ton point de départ ?

MMAN. Le goût que j'ai de chanter depuis que je suis toute petite.

LOULOU. Mais oui, mais mman, on a tous ce goût-là quand on est petite.

JULIOT. Ou petit. Chanter, être prêtre, peintre, pompier, magicien.

MMAN. T'as rêvé d'être magicien, toi, Juliot ? T'as rêvé d'être magicien pis t'es pas magicien ?

JULIOT. Je peux pas être magicien.

MMAN. Pourquoi ?

JULIOT. Parce que.

MMAN. Fiche-moi la paix avec tes parce que. Pourquoi ?

LOULOU. Mman, quel âge que t'as ? Tu trouves pas qu'il est un peu tard, pour rêver.

Mman accuse le coup.

MMAN. Ce qui m'intéresse, c'est pas de chanter devant le pape pis Lady Di. Ce qui m'intéresse, c'est de chanter, point. Si ça vous intéresse pas de m'écouter chanter, venez pas où je me produis.

JULIOT. Tu te produis?

LOULOU. Où?

MMAN. Dans ma douche.

Le notaire réapparaît dans un silence plutôt froid.

SERGE. L'atmosphère manque de oahahhahahahaoo-haahaahiiioh

LOULOU. Es-tu obligé de nous rappeler que tu descends du babouin?

Le notaire se rassoit. Il continue la lecture du testament.

LE NOTAIRE. il étè tune foi une sringe

SERGE. Jeannot c'est à toi pis moi comme des taches de naissance ces histoires-là

LE NOTAIRE. souyé une sringe souyé

SERGE. Heille je vais te briser en deux

MMAN. Que je te voie briser mon fils en deux.

S'approche sensiblement du notaire.

MMAN. Il était une fois une seringue souillée?

LE NOTAIRE. Èle avè déja sèrvi o poin de dépar par mononc' Jos diabétike ke ppa parfoi pour se moké de lui de mononc' Jos devan nou trètè dinpuisan javè ui tan sèt neuf bof juska douze trèze kinze Serge é moi on lè colècsionè lè sringe de Jos

MMAN, *à Jos.* Tu leur donnais tes seringues?

JOS. Ils aimaient ça, ils étaient fiers. Il vient de te le dire, ils les collectionnaient.

SERGE. Conte pas ça Jeannot

LE NOTAIRE. Sergio ami frère voizin on mètè notre bave an comun dan dè pti po pi on mélanjè an nèspéran linplozion nucléère la fuzion la fision lècsplozion oui ou non

SERGE. C'est pas une raison pour tout conter

JULIOT, *dégoûté.* Vous mélangiez votre bave?

SERGE. Ton frère se réveille ti-cas

LOULOU. Vous mélangiez vos crachats?

SERGE. Ta sœur astheure on faisait ben pire que ça Loulou Juliot la bave c'était un rituel de rien un détail dans peinture vas-y Jeannot raconte dis tout en détail fais chier ta sœur affole ton oncle fais vibrer ta mère pis donne des nausées à ton frère grouille des serpents sont en train de me manger les pieds

LE NOTAIRE. saiè sa te tante mon gran dézosé

SERGE. J'ai le goût des cuisses de grenouilles si j'en trouve pas dans cinq minutes les champignons vont me pousser dans bouche fais honte fais honte à ta famille c'est ce que t'as jamais réussi de mieux dans ta vie tu le faisais comme un grand chef fait ses salades

LE NOTAIRE. du calme Sergio Sergio Sergio Sergio avè pa de blonde parse kil étè trè satisfè de no nui ansanble lui pi moi moi pi lui moi come jétè pa antièrman satisfè mème si jétè kan mème trè zamoureu de Sergio osi amou-reu de Sergio ke Sergio létè de moi sé pa vrè sa Sergio

SERGE. Ça me fend le cœur ce que tu sors là je le sais pas qui était plus amoureux que qui de qui dans cette histoire là tout le monde était amoureux de toi ça je le sais n'importe qui qui te voyait pour la première fois pouvait plus se passer de toi je le sais tout le monde qui était profondément jaloux de moi parce que c'est chez nous que tu venais coucher quand t'allais coucher quelque part je l'ai jamais su pis je le saurai jamais qui aimait qui plus que qui laisse faire les détails les champignons poussent comme des clubs vidéo en dessous de ma langue sors le fleuve pis parle pas juste d'amour parle de cul parle de ta peau pis parle de ma peau parle comment on se trouvait beaux la fois qu'on a vissé le grand miroir au plafond

LE NOTAIRE. sa fè ke je sui zalé me chèrché une blonde dan lè paraje é je lui é fè pasé le tèst de la gravitée

Ils regardent Serge, inquiets.

SERGE. Le test de la gravité c'était moi si la fille était capable de vivre avec Jeannot qui vivait avec moi le test de la gravité était passé sinon pfuit

MMAN, *curieuse.* Pourquoi gravité?

LE NOTAIRE. Sergio ègzèrsè une tèle forse mman sur moi bin tu sé une forse tèrneviène tu sé une maré an géo on aprenè sa Juliot

JULIOT. Oui oui.

JOS. À quinze ans, on s'invente des mondes parallèles. C'est arrivé à Juliot, puis à Loulou. C'est arrivé à Margaret pis à Harvey. Ça m'est arrivé à moi. C'est arrivé à votre père pis c'est exactement ce qui vous est arrivé, à Serge pis toi, Jeannot. Vous viviez dans votre monde, un monde d'adolescents, un monde parallèle avec tout ce que ça comporte de désirs, de dangers, de violence.

MMAN. Qu'est-ce que tu veux dire, Jos?

LE NOTAIRE. kin zan é mile sin san sringe souyé pour lè jour ou no monde paralèle sotrè

JOS. Qu'est-ce que ça veut dire, ça?

SERGE. Pour les jours où nos bateaux titaniqueraient où nos ballounes péteraient où ça sentirait Noël à chaque seconde mille cinq cents seringues assez pour dis-le Jeannot

LE NOTAIRE. asé pour un pti comèrse ilisite

SERGE. Brrr

LE NOTAIRE. comèrse damour comèrse de ène comèrse de satisfacsion come lè comèrse de ninporte kèle ru comèrsial Sergio nètoyè lè sringe tou lè jour Sergio raconte coman tu nètoyè lè sringe

SERGE. Avec ma salive de chat on était des félins toi pis moi quand le soir arrivait quand le soir arrivait des félins qui se frôlaient des félins qui se frôlaient quand le soir arrivait je remplissais des petits pots de salive ma salive ta salive dans des petits pots des pots de bébé que tu volais dans les confitures de Ninja

LOULOU. C'est toi qui volais les pots de bébé de Ninja?!

JULIOT. Je le savais.

SERGE. JE PEUX-TU FINIR COMMENT JE NET-TOYAIS LES SERINGUES je fermais les pots hermédi-calement pis le jour je les rouvrais pis je trempais les seringues dans les pots le temps d'une chanson par seringue une chanson par seringue par pot

LE NOTAIRE. une chanson damour mman Sergio an conè une dizène

MMAN. Ah oui, Sergio? Va falloir que j'aille chez vous pis que tu me montres ça. Si je veux chanter, ça va me prendre un répertoire. Des chansons d'amour, vous dites?

SERGE. Toujours toujours d'amour toujours l'amour rien que l'amour pour guérir la salive suffit pas la salive c'est pour enduire l'amour c'est pour guérir les chansons c'est pour faire arriver l'amour

LOULOU. Je me serais jamais fiée sur lui pour nettoyer quoi que ce soit, moi.

SERGE. Moi le jour je nettoyais pis Jeannot le soir

LE NOTAIRE. moi le soir je prenè se ki avè tété nètoyé le jour par Sergio pi janfourchè ma bisiclète pi je fezè le tour dè trou de pise pi je distribuè dè sringe propre dè sringe propre sété tun comèrse propre come un otre comèrse comèrse trè noble trè légal trè bo comèrse distribusion de sringe propre come dan zun nopital distribusion de dra propre

JULIOT. Eux autres, les caves, y a rien qu'ils faisaient pas, sous l'influence diabolique du plus cave des caves, et j'ai nommé Serge. Nul autre que le Serge de Jeannot, le Serge de notre quartier, notre rue, le seul Serge qu'on connaît, celui qu'on est pas fier de, celui que tout le monde a toujours ri de, comme tu le dis si bien toi-même, Jeannot : Lui.

SERGE. Oui moi fier moi là je vais conter un bout de l'histoire Jeannot va se reposer Jeannot a décidé de se reposer pis on le lâche pas c'est fatigant des vivants hein Jeannot des vivants ça parle ça pense ça veut se

venger ça se repose jamais même pas la nuit ça dort pas
des vivants ça vit ça arrête jamais de respirer voici l'histoire de Jeannot dans le temps qu'il était encore vivant
je veux dire vivant parmi les vivants parmi moi vivant
dans mon corps Jeannot vivant dans mon corps ben
une fois pour le faire juste pour le faire chier parce que
ça aime faire ça aussi des vivants ça aime faire chier
d'autres vivants fouillez-moi pourquoi les vivants aiment
faire chier les vivants qu'ils aiment en tout cas pour
faire chier Jeannot parce qu'il me faisait chier lui aussi
régulièrement pour me venger pis pour expérimenter
aussi parce que je suis pas capable de vivre sans expérimenter je suis comme madame Vandal moi un matin
que Jeannot était pas encore revenu de sa tournée des
éclopés avec Lucie j'ai c'est ça j'ai pis ç'a pas été long
mais ce que je savais pas parce que Lucie quand elle
parle elle dit juste la moitié de ce qu'il y a dans une
phrase on en sait rarement plus même Jeannot réussissait pas à entendre les phrases au complet Jeannot pis
moi on s'arrangeait pis on réussissait assez bien pour
entendre chacun notre moitié de chaque phrase de
Lucie chacun notre moitié pis quand Lucie était partie
ce qu'on faisait on faisait le casse-tête on mettait nos
moitiés de phrases bout à bout pis on déroulait le dis-
cours de Lucie pis on en revenait pas du bon sens de
cette fille-là par rapport à notre bon sens à nous autres.
Le bout de phrase de Lucie que j'avais pas eu cette
fois-là si je l'avais eu j'aurais pas été capable de faire ce
que j'ai fait qu'est-ce que ça m'aurait donné de me
venger de Jeannot si j'avais su que Lucie passait son
temps à se venger de lui sa sœur Loulou son frère Juliot
son père tout le monde en voulait à Jeannot une
chance que j'étais là j'étais là pour ça pour l'aimer moi
mais ce matin-là je me suis réveillé tout seul dans mon
lit pis c'était trop dur pas mon corps dur la réalité dure

j'aurais voulu un peu du grain de sa peau mais le grain de sa peau profitait à un junkie dans le coin de Frontenac pas loin d'Ontario Lucie était là Lucie déjeunait Lucie essayait de déjeuner Lucie attendait son Jeannot le même Jeannot que j'attendais je me suis levé pis je me suis recouvert complètement de mon drap mince un fantôme je me suis t'en venu proche d'elle en essayant d'y faire un peu peur ooh elle riait ooh hoo j'arrive à côté d'elle ooo son rire traversait le mince drap son rire hoo caressait mon ventre entrait dans mon nombril pis filait à mon cerveau son rire s'entendait dans ma tête j'ai levé le drap pis je l'ai rebaissé sur elle le drap nous enveloppait elle pis moi moi pis elle elle assise pis moi debout son rire entrait encore dans mon corps par mon nombril sa langue a commencé à mouiller mon ventre sa langue a monté dévié est revenue redescendue a remonté sa langue explorait des zones qui appartenaient à Jeannot mais Jeannot tu pouvais pas partir plus que vingt-quatre heures d'affilée je te l'ai dit cent fois au bout de vingt-quatre heures je veux me suicider la langue de Lucie en dessous de mes bras c'était mon suicide les dents de Lucie mon suicide dans mon cou le nez de Lucie qui respirait fort mon suicide dans mes oreilles mon suicide la langue de Lucie c'était un peu ta langue mon Jeannot un peu tes dents ses dents un peu ton nez son nez un peu ton souffle le sien dans ma main pis sa main sur mes fesses ses doigts qui plongeaient c'étaient un peu tes doigts à toi tes doigts à toi Lucie était mon suicide pis moi j'étais le suicide de Lucie Lucie parlait pas je parlais pas tous les deux on vivait pas on se suicidait tranquillement muettement personne vivait quand t'étais pas là tu le sais ton frère mourait ta sœur mourait ton autre frère mourait ton autre sœur mourait ta mère mourait est partie ta mère parce qu'elle en pouvait plus de mourir ton père aurait tout donné pis donnerait encore tout pour te bercer encore chaque soir au lieu de ça tu le laissais mourir soir après soir dans les bras de son fauteuil pis les nécessiteux de la rue ceux-là aussi mouraient t'attendaient chaque nuit ceux-là aussi tu te glissais dans leur monde pis tu revenais sans que ça paraisse c'est ton amour pour le monde qui est beau Jeannot c'était ça ton passeport sauf que ce matin-là t'es pas revenu t'étais ou mal pris ou trop bien avais-tu besoin d'aide ou voulais-tu avoir la paix on s'embrassait Lucie pis moi debout elle pis moi le drap par-dessus pis ma tour qui restait pendante entre mes jambes malgré la salive de Lucie malgré ses cuisses malgré ses gestes ses attentions malgré son respir j'ai fini par durcir mais les yeux fermés ben dur pis le corps au complet concentré sur le tien arqué complètement en direction des ruelles pas de lumière où t'étais où était ta peau où était ta tour enfoncée dans l'air libre dehors caché par des petites planches trouées ton corps cloué sur un panneau beurré de toutes les saisons qui ont passé dessus j'ai ouvert les yeux quand mon sperme a commencé à inonder Lucie j'ai ouvert les yeux pis j'ai vu Lucie se contorsionner ses pieds accrochés en arrière de mes genoux Lucie complètement grimpée après moi comme un petit koala qui me regardait l'air un peu bêbête pis qui pensait en ouvrant les yeux voir la même chose que je pensais voir en ouvrant les miens mes yeux te voir toi te voir apparaître si t'étais pas déjà là voir que c'était toi qui s'accrochait après mes reins pas Lucie toi le petit koala pis Lucie c'était dans ses yeux aurait voulu être accrochée après tes reins à toi pas les miens on s'est débarrassé maladroitement de nous Lucie pis moi du drap Lucie replaçait ses cheveux moi j'essuyais ma tour

Se tait pendant un long moment.

SERGE. Mon amour mon amour est mort d'une maladie longue et atroce une maladie qui s'appelle la déroute le désœuvrement le désenchantement Lucie pis moi on était remplis de honte une honte humaine une honte du monde qui en est rendu à plus pouvoir se toucher sans se mettre une combinaison une combinaison un mur un mur de sentiments étranglés pis fuckés comme si tout le monde était devenu le nuage radioactif de quelqu'un d'autre Lucie pis moi on était révoltés ce matin-là on refusait de penser à demain astheure astheure que demain est arrivé pis que Lucie s'est suicidée je me sens coupable coupable de notre amour Jeannot j'haïs le premier jour avec toi la première fois les éclairs du soleil de ce jour-là j'haïs les odeurs pis la manière que je respirais ce jour-là le jour où j'avais pas encore peur que tu meures ni après ni avant ni séparé de moi le jour où je savais pas que t'allais mourir un jour mon amour

LE NOTAIRE. je mankè toujour damour tu le sé pi même selui ke tu me donè me sufizè pa pi le comèrse dè sringe sa marchè mè se monde là avè pa darjan pour pèyé pi moi je voulè riin savoir de larjan larjan ranplisè juse dè poche moi je voulè ranplir ma tète mon keur mon cor de monde ranplir mon cor de monde pour ke jarète dètre une solitude ranplir mon cor dun père aprè lotre pi sèrvir de fis a la jouisanse dè zome pour arèté le mal la douleur pleure pa Serge rèspire tè poumon veule ancore té ancore le plu bo vizaje tèrèstre blan ke jé conu arète de badtripé asteur té pa mor arète de badtripé pi rcomanse a bandé come mè clian bandè dan mé fèse pour chac sringe ke je distribuè bandé sé la vi pi la vi sé toi va zy sé ta ton tour jé fini pour tusuite gran tamour de ma ptite vi

SERGE. Salaud toi tu t'en vas trop vite pis moi j'ai pas le droit salaud tu me trahis qu'est-ce que je vais devenir qu'est-ce que je vais faire dans la vie la question qu'on repoussait toujours à demain tu me laisses seul pour y apporter une réponse salaud sans-dessein bander c'est pas une réponse bander je suis plus capable j'ai jamais été capable en dehors de toi comment veux-tu que je recommence à bander si j'ai même pas ce goût-là en premier le goût de vivre salaud reviens reviens pis je vas te laisser faire ce que tu veux si tu reviens je te jure ça va me crisser rien de t'attendre quarante-huit heures quarante-huit heures qu'est-ce que c'est à côté du restant de ma vie

Serge pleure.

JULIOT. On s'en va, tout le monde.

Personne ne bouge. Le ton du notaire s'est adouci.

LE NOTAIRE. ècscuze moi Sergio ècscuze moi davoir pasé par toi jétè pa capable de parlé a ppa pi ppa étè pa capable de me parlé pi falè bin ki sache ke jalè mourire i falè toi i falè ke tu soi sel a sel avèc lui pi yavè juse toi pour ozé dire a ppa dan kel opital son fis étè couché lé jan ki sème pa se parle mieu ke lè jan ki sème ouvre tè bra pi anvlope la vie come tu manvlopè anfourche ma bisiclète frote la bare sur ton pénis sa va èdé la libido un jour tu va rebandé come tu bandè dan tè dra avèc moi dan tè bra va zy pédale vieu vanpire dumanité frote ton pénis sur la bare

JULIOT. On s'en va.

LOULOU. Ça achève, Juliot, ça achève.

JULIOT. T'es pas tannée?

LOULOU. Oui mais ça achève.

JULIOT. On est obligés de le subir jusqu'à la fin, c'est ça?

LOULOU. C'est ça.

LE NOTAIRE. Jé bin nété oblijé danduré la dèrnière fraze de ppa moi

MMAN. Quelle dernière phrase?

JOS. C'est pas important, les dernières phrases.

MMAN. Quelle dernière phrase, qu'est-ce qu'il t'a dit, ton père?

JOS. Les dernières phrases sont dites en l'air, quand quelqu'un s'en va. Tu reviendras ou fais attention à toi, passe une bonne semaine. C'est pas des phrases sur lesquelles on s'est penché avant de les prononcer, c'est pas des phrases sur lesquelles il faut se pencher après les avoir entendues.

MMAN. Toi, arrête de protéger ton frère. Il est pas ici, il a tort, pas de colère. Non mais n'empêche qu'il devrait être ici pour se défendre lui-même, comme toi, comme Loulou, Juliot pis Serge. Quelle dernière phrase?

LE NOTAIRE. ppa ma di avan ke je meur : voir si sé pa onteu deu gà ki se pike si selman vou vou pikié come dè zome se pike si ancor vou vou pikié an nome avèc dè zéguiye mè non i fo ke vou vou pikié avèc vo keu bin asteur tu pèye pour Jeannot Vandal bin pèye pour sé pa moi ki va levé le pti doi pour te sortir de sète marde là

MMAN. Il a dit ça? L'écœurant!

JULIOT. Mman.

MMAN. Il a dit qu'il aurait aimé mieux que Jeannot pogne ça avec des vraies aiguilles qu'avec le sexe de son ami Serge?

JULIOT. Mman.

MMAN. Il a donc dit qu'il aurait aimé ça que Jeannot pogne ça avec des aiguilles, donc il est content.

JOS. Non, c'est pas ça qu'il a dit. Ç'aurait été un moindre mal pour lui si son fils avait pogné ça avec une seringue, c'est ça qu'il a voulu dire, nuance.

JULIOT. Ppa souffre, mman.

MMAN. Son fils aussi souffre. Voulez-vous ben me dire dans quel bout du monde ça l'amène, dans quelle éternelle souffrance, de savoir que son fils a pris ça d'une queue et non d'une seringue? En quoi ça lui brise la vie plus qu'il l'a déjà brisée? Quel pourcentage d'air ça lui enlève à respirer? Voulez-vous m'éclairer sur l'enfer que ce pauvre père va vivre qu'il aurait pas vécu si son fils avait attrapé sa maladie avec les seringues de Jos?

JOS. Voulez-vous laisser mes seringues tranquilles. Je les stérilisais, mes seringues, à l'eau bouillante. J'ai jamais donné de microbes à personne, pour la simple et bonne raison que j'en ai pas.

MMAN. T'en as pas?

JOS. Non, j'en ai pas.

MMAN. T'as pas de microbes?

JOS. Non.

MMAN. On a tous des microbes.

JOS. Pas moi.

MMAN. Comment tu fais pour te tenir debout?

JOS. J'ai des jambes.

MMAN. Ta mauvaise foi, c'est l'infection qui va te tuer, Jos.

JOS. J'ai pas de mauvaise foi.

MMAN. Tes poils sont infestés de mauvaise foi.

JOS. D'accord, j'ai des microbes mais bon... ils sont positifs.

JULIOT. C'est pour les bonnes raisons, que mononc' Jos se piquait.

JOS, *à Serge.* Vous auriez pas pu faire comme tout le monde, juste un petit joint une fois de temps en temps?

MMAN. Le joint aujourd'hui, Jos, leur donne un buzz bien maigre face à la grandeur des murs, face à l'épaisseur des murs, face à l'opacité des murs, face à la démesure des murs à traverser. Le joint leur donne un petit buzz insignifiant. Des fois ça fait mais le plus souvent ça prend un garrot pis une pénétration. C'est ça, les gars?

JULIOT. Ils se droguent aux drogues fortes pis on les laisse faire. Le système est pourri. On sait que quelqu'un fait quelque chose de contre la loi pis on y touche pas. En revanche, moi, une fois, je fais une erreur, j'emprunte trop longtemps un livre à la bibliothèque pis on me demande de payer l'amende. Une cenne par jour.

MMAN. Pauvre Juliot tout seul dans son coin, malheureux pis abandonné.

LE NOTAIRE. Moi labandon ma été trè salutère labandon de ma mère il ma révèyé fouèté ébloui jétè fièr de ma mère an Malèzi je me pikè pour rejoindre ma mère marché sur dè trotoir de bouète an plène sèzon dè plui kèlke par ou la torture couche avèc la lucsure si ma mère avè vécu a mon époke èle se serè piké èle osi sé sa le fon de ma pensé

LOULOU. C'est insultant d'entendre ce que tu dis, Jeannot.

MMAN. C'est toujours insultant d'entendre une vérité, Loulou.

LOULOU. C'est encore plus insultant de t'entendre le protéger, ton petit dernier.

JULIOT. Ce que t'as surtout pas entendu, mman, et ça, parce que tes oreilles veulent pas l'entendre, c'est qu'il a dit que c'était depuis ton départ qu'il se piquait, mon plus jeune frère.

LE NOTAIRE. Juliot : tu di dé coneri

JULIOT. T'sais quand ton corps est lourd à porter? Y a des journées comme ça? J'en vis une. Ça fait que slack.

LE NOTAIRE. tu dijère mal?

JULIOT. Je digère pas. Je devrais aller me coucher au lieu de rester ici.

MMAN. Tu devrais aller vivre, Juliot. Sors, cours, grimpe après les arbres. Si tu tombes sur un lampadaire, grimpe après pareil comme si c'était un arbre. Plutôt que de redescendre avec un fruit, tu vas redescendre avec une lumière.

LE NOTAIRE. il a pa le tan de grinpé dan lè lanpadère il grinpe dan léchèle sosial il grinpe aprè lè fèse a mononc' Jos

JULIOT. Ris donc de moi, toi! C'est ben ton genre! Tout faire pour se faire remarquer. Tout pour qu'on l'écoute. Toujours trouver moyen de nous accuser de manque de générosité ou de disponibilité. Fuck! On est pas des monstres pis à l'écouter, on a l'air d'en être. Il s'est même tué pour pouvoir nous écrire un testament, l'ostie de fucké. Trop poule mouillée pour vivre sa vie, il aimait mieux tout sacrer ça dans une seringue pis se shooter des doses de mort à petites doses. Je le savais. Je le savais qu'il se piquait. Je le savais pis je vous l'avais dit. Je vous l'avais dit pis personne bougeait. L'influence de ce Serge-là. Aurait fallu les éloigner l'un de l'autre. Les faire s'haïr. Depuis qu'ils sont nés qu'ils se piquent. Depuis des années qu'ils s'introduisent des venins dans... Fuck que je t'haïs pis que je te l'ai jamais assez dit!

LE NOTAIRE. Mon sel regrè sé ke vou profité pa de ma mor pour vou réconsilié vou zèmé mieu continué a dévlopé vo cansèr ke fère la pè

Juliot se rend à la patère.

JULIOT. Ça fait des heures qu'on traîne ici, comme dans un entre-deux. Nous, on a choisi d'encore vivre, vivons, à commencer par sortir d'ici. Sortons. Pis tu viens avec nous autres, mman.

MMAN. Si encore vous m'aviez préparé des sandwiches exotiques!

JULIOT. Justement, sont vertes, roses pis bleues.

MMAN. Au poulet, au jambon pis aux œufs?

JULIOT. Veux-tu ben me dire avec quoi d'autre on peut faire des sandwiches?

Rend à Loulou et à Jos leurs vêtements. Ils commencent à s'habiller timidement.

MMAN. Jeannot avait des choses à dire avant de partir et personne était là pour les entendre. Que j'en voie pas un s'habiller pis s'en aller avant le point final du testament. Jeannot?

LE NOTAIRE. On a sové la vi dun ticu Sergio pi moi grase o sringe de Jos un ticu qui étè randu san zèstoma tèlman kil lavè ronjé par le pepsi kil buvè parse kil avè riin dotre a se mètre sou la dan du pepsi sé toujour fasile a trouvé kan ta pa une sène ou kan ta mère te nouri pa ninporte kel cave de la ru te rconè come potansièl rèveur pi tofre un pepsi sé toujour la mème afère ke tu te fè ofrir an premié un pepsi bin lui il sétè fè tofrir tèlman de pepsi ke tou le pepsi kil avè bu lui avè ronjé lèstoma une nui je lé aprivoizé asé pour lanmené juske ché Sergio pi jé révèyé Sergio pi jé di à Sergio ke se ti gà là avè pu dèstoma jé èdé le pti cu a se couché dan le li a la plase de Serge pi je me sui couché a coté de lui a ma plase abituèle pi Serge a comansé a mouvrir le vantre pi a ouvrir le vantre du pti gà

JULIOT. Là, crisse, ça va faire.

MMAN. Quoi? Ça t'écœure que Jeannot ait donné son estomac?

JULIOT. C'est pas vrai, croyez pas ça. Jeannot avait encore son estomac dans sa tombe.

MMAN. Mais le geste de donner son estomac, le feriez-vous, vous autres?

LOULOU. Mman, t'es rendue complètement capotée.

JULIOT. Complètement folle! Encourager des niaiseries pareilles! Finalement, ils se seront tout permis, eux autres. À croire qu'ils faisaient exprès pour faire le contraire de ce qu'il faut faire. Ce que je m'explique pas, c'est que finalement, il avait toutes les permissions, on l'a toujours laissé faire même si on savait. On savait mais on faisait semblant qu'on savait rien. Il y a du monde comme ça qui jouissent de privilèges. Comme s'ils méritaient ça. Alors que c'est surtout pas eux qui méritaient quoi que ce soit. Eux méritaient l'enfer. J'ai été sage comme une image, moi. J'ai fait tes commissions. J'ai ramassé en dessous de la galerie. J'ai frotté les bottines de ppa. J'ai torché la bécosse.

MMAN. Tu peux pas t'imaginer, Juliot, comment je vous traîne tous autant que vous êtes avec moi dans mes voyages. Tous. Y compris Serge. Pis comment je rêve à toutes les nuits que vous soyez tous, je dis bien tous, heureux jusqu'à la fin de vos jours. Tous. Y compris Adam. Ce que je m'explique pas, moi, c'est que t'étais parti pour être comme Jeannot, c'est même toi qui as influencé ton frère, beaucoup plus que Sergio a pu le faire, dis pas non quand c'est oui. Tu le sais que c'est vrai. T'étais parti pour les privilèges. T'as eu peur, un jour, tu t'es mis à être sage. Sergio a pris la relève quand toi tu t'es éteint. C'est ça, l'histoire.

JULIOT. Éteint. Qu'est-ce qu'il faut pas entendre? Je me suis éteint. Je suis pas une chandelle! Je me sens lourd. Aujourd'hui. Demain, ça va aller mieux. Pour tout le monde. En fait, ça va aller mieux pour tout le monde quand le temps va être passé sur ce qu'on vit présentement.

LE NOTAIRE. Écouté sé sinple je mankè damour tou lè jour jan manke ancore jan manke Sergio je sui come sa je sui an manke tou le tan je sé je sui pa repozan pour pèrsone sé pour sa ke mman è parti le plu loin kèle a pu je

64

lé susé o macsimom mman ppa sé sové bin avan mman ppa sé sové kan jé comansé a ètre tro gran dan mon linje lè bou ki dépasè de partou dépasè pa parse ke je grandisè fénomène normal dan notre rase umène lè bou de po ki dépasè dépasè parse kil voulè ètre carèsé tou le tan chatouyé anbrasé

SERGE. Je te les donnais moi ces becs-là sur les pieds les genoux les oreilles je t'abreuvais

LOULOU. Je te les ai donnés, moi aussi, jusqu'à tout récemment. Jusqu'à l'âge de dix ans.

LE NOTAIRE. Juliot? ma tu carèsé asé toi?

Un silence d'une tonne.

JULIOT. Mon corps me pèse. Alors celui des autres!

JOS. Grandir, vieillir, c'est apprendre à plus en demander autant qu'avant, Jeannot.

LE NOTAIRE. Tiin! mononc' Jos ki a kèlkechoze a maprandre va zy Jos y a du monde a mèse pran ton micro pi prèche

JOS. J'ai dit ce que j'avais à dire.

LE NOTAIRE. se kon a a dire sa saroze ou sa secsplike

JOS. C'est sûr que c'est difficile à traverser, quinze ans. Mais bon, aurait fallu que tu les traverses. Les autres le font. Une fois les difficultés aplanies, c'est la lumière au bout du tunnel. Tout le monde sait ça, mais bon, beaucoup de monde fait semblant de pas le savoir, pis on plaint ce monde-là. On a tous en nous la force une force la force... nécessaire... pour traverser des océans de douleur. C'est sûr que c'est dur pendant. Mais après... Les périodes de crise sont toujours suivies par des périodes de cirque. Faut savoir attendre. Savoir espérer, savoir... apprendre. Faut vouloir. Je pensais t'avoir donné ça, dans mes histoires, dans mes bateaux, le goût d'en savoir toujours plus, la curiosité... peut-être même mal placée mais c'est peut-être mieux que la retraite fermée... la curiosité... la curiosité du monde, la curiosité de la vie. Mais bon. T'es mort, t'es mort, on te réinventera pas. On va te remplacer dans nos cœurs. Il y en a qui vont prendre cinq ans pour ça. D'autres dix ans. D'autres trois mois. C'est une question de personnalité et de douleur, c'est inexplicable, bon, je vais y aller, moi, j'ai un seize heures à donner.

Pleure.

MMAN. Ta mère te remplacera jamais, Jeannot.

SERGE. Ni mes draps te remplaceront mais bon comme dirait ton mononc' Jos mais bon mais bon mais bon mais bon mais bon

JOS. J'ai dit beaucoup de choses dans ma vie, si j'avais su que tout ce qui resterait de moi serait ce mais bon. Si j'avais su que deux mots presque insignifiants me résumeraient si bien, j'aurais choisi plus délicatement mes mots.

LE NOTAIRE. sétè sa tétè un *mè bon* mononc' Jos *mè* sé toujour négatif on va alé ché granpapa *mè* on rèstra pa lontan on va alé o rèstoran *mè* on va juse boire une likeur on manjra pa on va couché ansanble *mè* on le dira pa on va sachté un càstète *mè* on va prandre le moin chèr le moin de morso on rèstè pa lontan ché granppa *mè bon* on y alè on manjè pa o rèstoran on fezè juse boire une likeur *mè bon* on y alè on le disè pa avèc ki kon couché *mè bon* on couchè avèc parèye

JOS. Sois plus précis quand t'avances quelque chose d'imprécis pis on se sentira pas coupable inutilement.

LE NOTAIRE. mononc' Jos étè tun négatif *mè* pozitif je vè zèsèyé dètre prési si mononc' Jos avè pa été là ma vi orè été plu difisile a travèrsé le peu ke jé travèrsé je veu dire lè kin zané pour sa mononc' Jos je vè te fère un cado un néritaje de plus mème si sa fè dè jalou

JOS. C'est pas nécessaire. Je vis très bien comme je vis. J'ai besoin de rien. Donne à ceux qui nécessitent.

LE NOTAIRE. je vè te doné kèske je pourè biin te doné jé pu riin atan ke je réfléchise

MMAN. Redonne-lui le goût à la vie.

LE NOTAIRE. sa se done pa sa mman

MMAN. Oui, ça se donne, tu me l'as donné, Serge te l'a donné quand il est déménagé à côté de chez nous.

JULIOT. C'est ça que je comprends pas. Il te faisait manger de la marde pis t'appelles ça le goût à la vie. Comme si je l'avais pas, moi, le goût à la vie. Comme si pour avoir le goût à la vie, fallait absolument faire chier son voisin. T'es-tu capable de me regarder autrement qu'avec ces yeux-là?

MMAN. T'es-tu capable de me parler autrement que sur ce ton-là, toi?

JULIOT. Quel ton?

MMAN. Ton misérable, j'ai donné à chacun ce que chacun a demandé, rien de plus, rien de moins. Tu demandais rien, Juliot. T'étais toujours tout seul. Tu vivais dans ton monde. T'avais l'air de te suffire à toi-même. Moi j'étais occupée à piler les patates. Jeannot demandait sans arrêt, lui, patates pas patates, de l'attention, Jeannot risquait sa vie pour qu'on se rappelle qu'il était là. La main sur le chaudron, enlève le chaudron, la main sur le rond du poêle, toujours le rouge. Il nous faisait penser le plus qu'il pouvait qu'un jour, un jour plus proche qu'on pensait, il serait peut-être plus là. C'était aussi bien de l'aimer avant qu'il s'en aille si on voulait pas le regretter. On donne à chacun ce que chacun demande, Juliot. Toi tu te taisais. Harvey est disparu dans brume. Jeannot explosait. Loulou voulait lire.

LOULOU. Je savais pas que mon désir de lire avait pu vous causer des problèmes. Il me semble que je demandais pas grand-chose, lire. Un livre, ça coûte peut-être cher mais c'est de la nourriture spirituelle qui meuble une maison, non?

MMAN. Ton désir de lire m'a jamais causé de problèmes, ma petite fille. Juste des petites complications mais pas de problèmes majeurs. On aurait dit que parce qu'il y avait pas un livre dans la maison, tu faisais exprès pour vouloir lire. Ton père pis moi, on se disait, c'est ça des enfants. C'est le contraire de la raison, le contraire de la mort. C'est ce qui tient les parents en vie. Tu voulais pas être comme moi pis ton père, ignare.

LOULOU. J'ai jamais dit ignare.

MMAN. Ce que vous avez pu nous dire à votre père pis à moi, je comprends que vous vous en rappeliez pas. Si j'avais dit à ma mère le quart de ce que vous m'avez dit, j'aurais honte pour le restant de mes jours. Tu voulais lire? Tout existe pour satisfaire tout le monde. C'est ma mère, votre grand-mère, qui disait ça. J'ai visité les fonds de caves, les greniers des maisons où je faisais des ménages pis je te rapportais tout ce que je pouvais. Personne s'est jamais aperçu que je volais des livres.

68

C'est ben pour dire que ces livres-là, ils étaient pour toi, Loulou.

LOULOU. T'as volé tous les livres que j'ai lus?

MMAN. Oui.

LOULOU. J'ai lu des livres volés!

MMAN. Force-toi pas pour paraître scandalisée.

LOULOU. Ma mère est une voleuse?

MMAN. On voit que ça te prend absolument un drame? Vivre heureuse, ça te dit pas?

LOULOU. Le problème, c'est que j'ai appris dans mon enfance, par la bouche de ma mère, que voler, c'est un crime. Aujourd'hui, j'apprends que pour me donner ce que je voulais, ma mère volait.

MMAN. Tu devrais être fière de l'amour que ta mère te portait. Ta tante a passé sa vie à voler pis tu l'admirais, ta tante.

LOULOU. Une tante, c'est pas une mère. Je peux être fière de ma tante pis pas être fière de ma mère pour la même raison pis là, je suis pas tellement fière de ma mère, si ma mère veut savoir.

MMAN. Ma fille est malheureuse?

LOULOU. Je suis très heureuse, je vois pas le rapport.

MMAN. Si t'étais heureuse, tu serais fière de ta mère. T'as arrêté de lire dehors, couchée dans ton hamac. T'as changé de littérature, aussi, pourquoi? T'as changé de littérature pis t'as commencé à lire dans ta maison parce que t'as arrêté d'être heureuse.

LOULOU. J'ai tout lu les livres VOLÉS pis j'ai pas une cenne pour m'en acheter d'autres, premièrement.

MMAN. Relis ce que t'as lu, pis essaye cette fois-ci de comprendre ce que tu lis.

LOULOU. Vous êtes pas obligée de vous pencher sur mon sort, je vous ai rien fait. Vous êtes pas obligée d'être méprisante envers la plus vieille de vos filles.

MMAN. T'es pas obligée de me vouvoyer, ça m'insulte, tu le sais. Tu fais exprès, tu te fais accroire que t'es heureuse, Loulou.

LOULOU. Est bonne, même que c'est la meilleure que j'ai entendu jusqu'ici. J'ai déchiré mon hamac. Voulez-vous savoir pourquoi?

Pas de réponse.

LOULOU. Je vais vous le dire pis après ça, je vais crisser mon camp. Parce que je veux plus vous parler. Je veux plus rien savoir de vous autres. Je coupe le cordon, si c'est pas déjà fait, es-tu contente? Un poids de moins sur tes épaules de mère. Cent deux livres de moins à supporter, attention de pas t'envoler! J'ai déchiré mon hamac à cause des mouches.

Ils la regardent, interloqués.

LOULOU. Oui, des mouches. Partout, des mouches avec des dards remplis de toutes sortes de pus dangereux. Des pattes sales de mouches sur ma blouse. Les mouches viennent de plus en plus d'ailleurs, des pays chauds ou arabes. Les mouches sont devenues bactériologiques. Les mouches passaient par tous les trous de mon hamac et me piquaient. Je m'endormais très très très tard la nuit quand j'avais fait le tour huit fois de toutes mes piqûres de mouches. J'étais devenue enflée,

enflée de toutes sortes de pus dangereux, mon sang supporte pas les mélanges. C'était rendu que j'entendais mon sang couler dans mes veines, comme si la rage avait été inoculée. Mon sang. Je remettais tous les jours au lendemain ma cure, une cure, une cure de désintoxication. J'avais pris rendez-vous avec une société de boue, un commerce florissant de douches de boue, de bains de marde. En même temps que j'avais lu que c'était bénéfique, miraculeux pour le corps humain, en même temps, j'avais aussi lu qu'il y avait des colonies de fourmis dépositaires de cyanure qui vivaient dans cette marde-là. Pis qui se reproduisaient. Juste le mot reproduire me faisait reculer, imagine cyanure. Heureusement que j'ai reculé, sans ça, je serais allée pis aujourd'hui, je serais pleine d'œufs de fourmis dans mon derme. Pis plein de cyanure me coulerait du nez quand j'aurais le rhume. C'est ma tante Ninja qui m'a fait penser que si je sortais plus dehors, comme elle, je me mettais automatiquement à l'abri des mouches. Depuis ce temps-là, je sors juste pour prendre une marche, bien habillée, pis je vais le moins loin possible. Pis le moins loin possible, ils vendent juste des journaux à potins. Ce que je lis est peut-être, je dis bien peut-être, plus plate que des romans d'Émile Zola pis de Yves Beauchemin, mais au moins je suis heureuse. J'ai réglé mon problème. Je vais revenir, comptez-y. J'aime trop ça. Je vous aime trop pour que ça ressemble à un adieu, ma sortie. Adieu!

MMAN. Avez-vous entendu? Je vais revenir. Je vous aime trop pour que ça ressemble à un adieu, ma sortie. Adieu. Et elle est pas sortie.

LOULOU. Tu me laisses partir? Tu m'aurais laissée aller? Tu serais pas venue me chercher? T'aurais pas insisté pour que je reste?

MMAN. Si tu veux t'en aller, c'est toi que ça regarde. À l'âge que t'as.

LOULOU. Oui, mais tu me retiens même pas.

JOS. Reste, Loulou.

LOULOU. C'est pas à toi que je parle !

JULIOT. Mman... On est pas devenus ce qu'on est devenus par hasard. Il y a quelqu'un quelque part qui est responsable. Tu devrais voir Margaret pianoter, depuis deux jours. Tu devrais voir ses doigts, juste pour te dire, des doigts de naine. Dépêche-toi de courir aimer ta fille avant qu'elle disparaisse dans ce qu'elle appelle sa passion pour la musique.

MMAN. Pis toi ?

JULIOT. Quoi, moi ?

MMAN. Tu veux pas qu'on t'aime, toi ?

Juliot est incapable de répondre.

MMAN. Tu l'as jamais dit, Juliot.

JULIOT. Oh oui, je l'ai dit.

MMAN. Tu l'as jamais dit assez fort.

JULIOT. Je l'aurais crié, ça aurait rien changé. Je me taisais. Mais je parlais fort en ostie dans mon silence. Personne m'entendait. Personne m'entend jamais. Quelqu'un m'aime-tu, sur la terre, des fois, je me le demande sérieusement, sé-rieu-se-ment.

LE NOTAIRE. mman va don dan le coridor un pti peu avèc mon gran frère ke jème pi ème le un peu toi osi il fè pitié notre pti Juliot pi i viin davoir le couraje de kèzman te

le demandé i viin davoir tran tan pi pèrsone a téléfoné ché
zeu pour y souèté bone fète

Juliot saute sur le notaire.

JULIOT. Heille toi, c'est mon poing sur un œil que tu
vas hériter de.

Mman saute sur Juliot.

MMAN. Touche pas au notaire, toi. Ces gens-là ont des
avocats pis ça finit plus.

Juliot éclate en sanglots.

JULIOT. Pourquoi il est né? Pourquoi il est né? On
était ben avant! On était quatre. Deux gars deux filles.

*Essaie honteusement de cacher ses pleurs du mieux qu'il
peut.*

JOS. Bon! Je suis en retard, avec tout ça.

MMAN. Avec tout quoi? Vous restez ici. Une dernière
minute pour celui qui nous quitte pour vrai.

JOS. Une minute, pas plus, c'est pas que je veux pas,
c'est juste que c'est rendu qu'on fait juste ça, des minutes. Tellement qu'on sait plus trop pour qui ni pour
quoi on les fait. Je vais en faire, chez nous, des minutes.
Une pis une autre. Mais là, je regarde l'heure, pis j'ai
un seize heures qui s'en vient.

Juliot sort une carte de la poche de son imper.

JULIOT. Ça fait un bout que je traîne ta carte d'assurance-maladie.

MMAN. J'ai pas besoin de la carte qui a refusé de soi-
gner mon fils. Cette carte, elle a discriminé mon garçon. Si tu la sors, je la piétine, cette carte qui vient de
ton oncle Jos.

JOS. Bon, la carte, astheure!

MMAN. T'as mis au monde cette carte-là, t'as voté pour, tu disais que ç'allait être bénéfique pour tout le monde, si tout le monde payait pour la santé de tout le monde. J'ai payé, toute ma vie, pour la santé de tout le monde pis quand mon seul fils, mon fils unique s'est retrouvé grabataire... Quand mon fils unique a eu besoin de tout le monde de son bord, tout le monde avec lui, qui est resté à lui tourner autour? Serge. Juste Serge. Son Sergio à notre Jeannot. C'est ben plus grand, ça, que toutes les assurances-maladie du monde, ce que Sergio a fait pour Jeannot. Pis c'est gratis. Personne l'a jamais payé, ce Serge-là, pour ce Jeannot-là. Astheure, sauvons-nous. C'est ça Loulou, sauve-toi. Sauve-toi Jos. Sauvons-nous, puisqu'on peut rien faire, rien changer. Envoyez. Partez. Qu'est-ce que vous attendez? Grouillez. Vite. À maison. À maison. Ils restent là plantés comme des piquets.

JULIOT. Tu viens avec nous autres, mman. On a cinq pains sandwiches à avaler tristement. Pis j'ai deux mots à te dire. À propos de ton fils unique. T'as trois garçons pis deux filles. Une femme qui a trois garçons pis deux filles peut pas avoir de fils unique. Ça fait partie des affaires qu'on va régler à la maison. En famille. Tout le monde ensemble. Toute la famille. Parce qu'on est une famille, tu sauras. Pis des affaires comme ce qui nous arrive présentement arriveraient jamais si on se comportait comme une famille unie. J'en dis pas plus, là, c'est à la maison qu'on va déballer chacun notre sac. Y compris Harvey, qui va être là. Figure-toi donc que j'ai réussi à le retrouver. Il m'a promis qu'il serait là pour les sandwiches. Harvey, c'est ton fils aîné. Moi je suis ton fils au milieu. Pis Jeannot c'était ton fils cadet. Pas unique. Cadet. Cadet. Cadet.

MMAN. Cadet pis unique, c'est synonyme. Si vous voulez me sortir d'ici, va falloir que vous utilisiez la force.

JULIOT. Si tu veux qu'on utilise la force...

La main de Juliot s'empare du coupe-papier qui traîne sur la table du notaire. Au moment où Juliot vient pour élever l'arme contre Mman, un cri l'arrête.

LOULOU. JULIOT!

On se rassoit, un peu n'importe où, un peu n'importe comment. On se sent un peu coupable, vis-à-vis du notaire, qui termine la lecture du testament.

LE NOTAIRE. mman

Regarde Mman.

LE NOTAIRE. tà prié for a chac foi tà prié for an nosti pour ke mon père te done un nanfan ki serè a la oteur de te doné lamour ke ton mari été pa capabe datinde fè moi pa chié tu priè tèlman for ke chac foi tétè désu Loulou désu Juliot désu Margie désu Harvey désu tu savè pa ke jviindrè tavè pa prévu ma nèsanse kan chtarivé tavè arèté de prié jé riin u a fère juse vnir o monde grandir parlé rir pleré cantèse ke jé vu mon frère ma seur mon note frère mon note seur juse rir juse pleré tu le sé moi jété ereu pi malereu poin ezote falè ki te fase un dèsin chac foi tu lé croyè jamè pour vrè an premié kan jé di a Sergio viin mèdé Sergio jé décidé décrire mon tèstaman je voulè écrire u nistoire damour je voulè écrire mon nistoire pi mon nistoire sè tu nistoire damour sè se ke je pansè je pansè ke mon nistoire sétè tu nistoire damour mè mon nistoire fè tro dur pour être damour mon nistoire è tistoire de ène plin de petite ène ki anpèche Loulou pi Juliot de rèspiré an premié je voulè ke ma mor lè délivre je voulè écrire dè bo mo riin ke dè bo mo dan mon tèstaman sé toi mman ki mà joué le

75

plu bo tour de ma vi té parti tu lé za abandoné come si i mérité riin euzote come si i pouvè vivre san toi tà le droi de partir mè fo ke tu trouve le moyin de resté

MMAN. Facile à dire quand on est mort pis enterré.

LE NOTAIRE. chu petète entèré mè chu pa mor

MMAN. T'as vécu quatorze ans pis t'es parti. J'en ai cinquante.

LE NOTAIRE. rèsté chu rèsté chu pa parti chu rèsté chu rèsté toute ma vi joré jamè pluse ke katorzan asteure la mèzon cri la tabe pi lè chèze pi lè foto sur lè mur cri

MMAN. Pas de colère, Jeannot.

LE NOTAIRE. lè mur cri

MMAN. Pas de colère.

LE NOTAIRE. lè fou pi lè fin ante lè mur cri

MMAN, *en colère.* Pas de colère, j'ai dit.

LE NOTAIRE. fè moi pa chié toute cri mème si tu ferme la télévizion le volume continu de crié lé chiin cri come dè cha lè bébé làche dè cri de vieu pi toute lè cri viène du noir dedan pi tonbe dan le noir deor

MMAN. Je le sais que ça crie! Je suis pas sourde! Je suis pas insensible! Pourquoi tu penses que je suis partie? Qu'est-ce tu veux que je fasse de plus que vous autres, ici? Qu'est-ce tu veux qu'on fasse, asteure, se mettre à genoux pis prier?! Si y avait rien d'impossible de ton vivant, Jeannot Vandal, fais-moi pas accroire, asteure que t'es mort, que t'as pus aucun pouvoir sur nous. T'as toujours obtenu ce que tu voulais de tout le monde, asteure aide-nous. Enlève-nous nos peurs.

LE NOTAIRE. jpeu pa anlvé lè peur o vivan mman

MMAN. Remplis-nous de paix.

LE NOTAIRE. jsu pa une tink damour

MMAN. Oui, t'es une tinque d'amour. Plus rien qui donne rien, Jeannot. On espère dans le beurre. Plus rien qui se peut, plus rien qui se peut. Fais-moi pas chier toi non plus! Toujours ben des limites à l'endurance humaine. Si t'es si fin, crache-la donc, la solution!

LE NOTAIRE. il ni a pa sinkante si solusion kan pu riin se peu kan le monde se peu pu notre role comanse on é dè vandale on é pa dè zanje pa dè zome pa dè fame pa dè zanfan de paspartou on é dè paspartou dè clé dè solusion dè voleur tueur bandi épouvantaye a foncsionère bonome sèteur y a dè moman dan la vi ou i fo fère la fète se moman là è tarivé sa fè lontan ke la grande famiye dè vandale sè pa divizé sa fè lontan an nosti kon é pa parti chacun de notre bor pour ansèrclé lènmi fo casé la barac fo se divizé pi fo arivé de tou bor tou coté fracasé fandre mutilé asasiné mordre dèsandre lè tro gro plin de marde ki son tasi sur leur cu pi ki fon riin ke critiké pandan ke larjan fè craké leur pantalon fo leur fère manjé leur propre marde a cuyèré on é dè moin ke riin dè moin ke sa ancore on fè pa sa par étape on fè sa dun soufle on é tou dun bloc sé le gran tan du nètoiyaje santé vou sa le tan du brouaa on va sintroduire par èfracsion dan toute lè mèzon sé fasile on sé coman on va pénétré dan lè mèzon pandan ke lè mèzon son vide lè mèzon dè banlieu son vide parse ke lè zome é lè fame travaye toute la journé dan la vile o milieu dè banlieu on va ouvrir tou lè robinè de toute lè mèzon de toute lè banlieu tou lè robinè de toute lè mèzon de toute lè banlieu von coulé a grande o toute la journé sa va fère un oraje artifisièl un oraje intérieur sa va achvé lintérieur achvé le pourisman plonjé làme dan lumidité come fo asé

pour ke le monde è pu le choi de sortir leur àme sur la
corde a linje aprè pour la fère séché pi on va rgardé làme
de chacun pi on va prandre dè foto pi on va fère une
ecspozision o nouvo muzé dar contanporin a coté de la
plase dè zar sa va ètre la plase dè zàme pi lecspozision
va duré si moi come sèle dè zané vin sa va ètre lecspozision dè zané katrevin an montan sé le gran tan kon fase
peur o janre janre tro pumin on é dè zanimo pi on là déja
oublié un par un on va lè fère suconbé à la tantasion on
va lè fouré chacun notre tour on va lè zinoculé lè zintro-
duire lè contaminé on va lè zarèté de critiké de o pi on va
lè plonjé dan la pisine dè microbe un par un on va leur
doné no microbe séparéman on va se divizé le monde tu
dizè sa mman tu dizè à tè zanfan ka forse de pansé kan
se mètan tou le monde ansanble pour chanjé le monde on
finirè par croire ke sé tansanble tou le monde kon finirè
par chanjé le monde tu dizè osi ke le problème sé ke Jos
avèc sè sindica pi tou le monde ansanble o bou de vin
tran tan se kil zon fini par chanjé sé pa le monde sé une
pinote dan le monde une pinote sé petètre gro dan le
gozié dun nécureuye mè sé riin kan sé to pié dun arbre sé
pour sa ke tu dizè ke lè plu gro chanjman se ferè le jour où
on se mètrè tou le monde tou seul chacun dan son coin a
grujé son coin come une maladi pi la mèzon tonbe tou le
monde a grujé pi i règte pu riin riin dotre kune colone
vèrtébral asteur atakon atakon come dè vandale atake
séparéman sel a sel an fase de lènmi divizon nou lènmi
dégizon nou an lènmi dégizon nou an facteur pandan la
grève dè facteur pi donon dè fo randé vou dégizon nou
an prof de relijion pandan ke lè prof de relijion ansègne lè
matématic dégizon nou an sitrouye avèc dè rou dégizon
nou an notère é lizon san zémosion lè tèstaman dè ti cu
de kin zan é moin dégizon nou an mère de famiye san
keur an mononc' Jos coupable an Serge pa propre an
Juliot abandoné an Loulou peureuze dégizon nou an nou

an vandale pi vandon de lasuranse mor donon lasuranse
de la mor À notre prochin aïson le come nou nou zaïson
noumème é mèton no bàton dan lè grande rou ansèrclon
de toute par é donon dè janbète fracason toute lè vitrine
de tou lè comèrse florisan ouvron toute lè porte de tou lè
téàtre é sacajon tou lè décor ki coute plu chèr ke no
mèzon avalon toute lè couye une par une de tou lè patron
dè sindica reproduizon nou come dè mouche fezon dè
zeu dan le derme de lépidèrme sosial fezon du sindica dè
couyon de la mlase a fobour placardon la vile de tra-
vayeuze sosiale a talon o ki susron lè ministère dan lè trin
lè zotobus lè zavion fezon dè détourneman davion fezon
dè détourneman de mineur é reprenon no tèritoire reprenon no crèyon ayon le bra lon é écrivon o plu vite a
Harvey Davidson chèr Harvey ta gang de fou furieu son
tinvité o jambori nasional plu on va ètre de fou plu on va
mourir de rire plu on va fère une gère monstre plu on
poura parlé de pè sur la tère o zome de bone volontée
aprè une minute silvouplè une dernière pour le manke
damour

Noir. Merci.

Jean-François Caron

montréal nov. 91
bruxelles déc. 92
montréal janv. 93

CET OUVRAGE
A ÉTÉ COMPOSÉ PAR
MÉGATEXTE

ACHEVÉ D'IMPRIMER
EN AVRIL 1994
SUR LES PRESSES
DES ATELIERS GRAPHIQUES MARC VEILLEUX INC.
CAP SAINT-IGNACE (QUÉBEC)

POUR LE COMPTE DE
LEMÉAC ÉDITEUR

DÉPÔT LÉGAL
1re ÉDITION : MAI 1994
(ED. 01/IMP. 01)